Collection

Catalogage avant publication de Bibliothèque et Archives nationales du Québec et Bibliothèque et Archives Canada

Guilbault, Geneviève, 1978-, auteure

Scarlett 007. Les chaussettes jouent à la cachette ! / Geneviève Guilbault, auteure.

(Mon BIG à moi)

Public cible : Pour enfants de 8 ans et plus.

ISBN 978-2-89746-111-9

I. Titre. II. Titre : Les chaussettes jouent à la cachette! III. Collection : Mon BIG à moi.

PS8613.U494S222 2018 jC843'.6 C2018-940496-5

PS9613.U494S222 2018



Idée originale de la collection : Richard Petit

Écrit par Geneviève Guilbault

Illustration de la couverture : Richard Petit
Illustrations intérieures : Manuella Côté et Richard Petit

Création de la grille graphique : Richard Petit
Mise en pages : Julie Deschênes

Dépôt légal : Bibliothèque et Archives nationales du Québec, 2e trimestre 2018
ISBN 978-2-89746-111-9

Imprimé au Canada

Gouvernement du Québec – Programme de crédit d'impôt pour l'édition de livres – Gestion SODEC

Andara éditeur remercie la SODEC pour l'aide accordée à son programme éditorial.

# Je coche les Mon BIG d'moi que j'ai lus.

# SCARLETT 007

# Les chaussettes jouent à la cachette !

Geneviève Guilbault

DANS UNE PETITE VILLE
TOUT PRÈS D'ICI...

# SCARLETT 007

Scarlett est l'espionne la plus jeune, la plus motivée et la plus douée de toute la ville (selon elle, en tout cas !).
Elle est prête à tout pour satisfaire ses clients et elle a parfois des idées... disons... un peu farfelues.

Son expression préférée :
**nom d'une moustache !**

# Jimmy Bond

Jimmy a toujours quelque chose à se mettre sous la dent. Il mangerait partout, tout le temps. Il est aussi très amoureux de Scarlett. La jeune fille ne tardera pas à le découvrir... et à se servir de cette information pour assurer le succès de sa prochaine mission.

# SPY

Bien que nouveau dans le quartier, Spy sait se montrer indispensable au sein de la petite agence. Malheureusement, sa peur des animaux lui rend parfois la tâche très difficile. Parviendra-t-il à surmonter sa phobie ?

# Invité-surprise

Un nouveau personnage fait son entrée en scène dans cette histoire complètement folle.
Qui est-il ? Que veut-il ?
Est-ce un enfant ?
Un adulte ?
Un extraterrestre ?
Il faudra lire la suite pour le découvrir !
Chose certaine, il a beaucoup d'énergie !

# Salut !

C'est moi, Scarlett !
Te souviens-tu de ce
qui s'est passé dans
mon premier roman ?

Tout d'abord, tu dois savoir que j'ai toujours voulu devenir une espionne. **TOUJOURS !** Et pour me faire rêver, rien de mieux que mon livre préféré. Je vous présente **TOP AGENT 007**, le meilleur enquêteur de tous les temps !

Il y a peu de temps, j'ai démarré ma propre agence d'espionnage.

**Jimmy Bond**, mon meilleur ami, m'a aidée dans cette fabuleuse aventure.

Il a même proposé un endroit génial où établir notre quartier général.

C'est à cet endroit que nous avons rencontré SPY, un mystérieux garçon rempli de secrets. Ensemble, nous avons réussi à faire connaître notre entreprise à toute la ville.

Madame Tulipe est venue nous voir pour nous demander de l'aide. Non... attendez... elle ne s'appelait pas madame Tulipe... Comment c'était, déjà ? **Argh !** J'ai toujours de la difficulté avec les noms. Madame Pétunia ? **Hum...** Ce n'est pas ça non plus. Madame Rose ? Madame Pissenlit ? Madame Muguet ?

Oh !
Je m'en souviens,
maintenant !
Elle s'appelait
madame
Marguerite !

Elle nous a demandé d'enquêter au sujet du terrain fleuri de monsieur **Pré-Vert**, alors c'est ce qu'on a fait ! On s'est déguisés, on a espionné, observé, analysé, fouillé, et finalement, on a résolu le mystère !

Bon... On s'est un peu fait aider par Zack, le petit frère de Jimmy Bond, mais on a quand même réussi. Nous voilà maintenant prêts pour une **nouvelle aventure !**

# Chapitre 1

## Une espionne + deux garçons = Nom d'une moustache !

La tension est à son maximum dans le quartier général SPY-BOND-007. On pourrait entendre une mouche voler tellement c'est silencieux. Deux espions sont assis de chaque côté d'une petite table, le souffle court et les sourcils froncés. L'instant est

critique ! Spy penche
son corps vers l'avant,
le visage grave, tandis
que Jimmy Bond se gratte
le bras nerveusement.
Quelle sera leur prochaine
action ?

— **Allez, les gars !**
bougonne Scarlett
d'un ton impatient.
C'est **TROP** long !

— Oui, oui, une seconde, marmonne Spy en sortant la langue pour mieux se concentrer. Je dois réfléchir avant de prendre une décision, sinon je risque de mourir…

— Il s'agit d'une opération **très** délicate, ajoute Jimmy en faisant signe à son amie de s'asseoir.

Scarlett se laisse tomber sur une chaise en soupirant avec bruit. Elle déteste être tenue à l'écart de la sorte. Elle préfère quand tout le monde collabore, alors que là... Elle se sent presque de trop.

Mais que font les garçons, au juste, les yeux fixés sur le dessus de la table ? Pourquoi transpirent-ils autant ? Sont-ils en train de désarmer un explosif particulièrement dangereux ? De surveiller un vilain bandit à l'aide d'une caméra ? Peut-être s'apprêtent-ils à décoder un message secret ?

Pas tout à fait…
Leur mission est bien plus stratégique, bien plus périlleuse.

— **Échec et mat !** s'écrie Spy en déplaçant sa reine d'un geste victorieux. Je t'ai bien eu !

Jimmy ouvre grand la bouche et lâche, frustré :

— **Quoi ?** Comment as-tu fait ? On recommence ! Je veux ma revanche !

— ***Ah non !*** aboie Scarlett en déplaçant la planche de jeu pour libérer la table. Ça suffit, les échecs. On a du travail !

Les deux garçons échangent un regard et lèvent les yeux au ciel.

— Du travail ? Où ça ? demande Spy en désignant la pièce d'un coup de menton. On n'a pas **un seul** client !

Scarlett pince les lèvres ; elle sait que son ami a raison. Le temps est long, **TRÈS** long, quand on passe ses journées à attendre les clients. Les trois espions ont cru qu'une mission se présentait à eux lorsqu'un homme est venu frapper à la porte, quelques jours plus tôt… Mais ce père de famille avait seulement besoin d'un diachylon pour couvrir une petite égratignure sur le genou de son fils. Rien de bien palpitant pour les meilleurs enquêteurs de la ville !

L'école recommence dans quelques jours, et si ça continue, l'agence SPY-BOND-007 n'aura eu **QU'UN SEUL** contrat de **TOUT** l'été.

Découragée, Scarlett appuie les coudes sur la table et essuie une goutte de sueur qui roule sur sa tempe.

— Qu'est-ce qu'il fait chaud aujourd'hui !

Jimmy réagit aussitôt. Il bondit sur ses pieds, s'élance à l'autre bout de la pièce et revient avec une bouteille d'eau qu'il tend à son amie.

— **Tiens !** As-tu soif ? Bois, ça va te faire du bien.

— D’accord, merci, répond la jeune fille, touchée par la belle attention.

— Tu veux que j’aille te chercher de la glace pour qu’elle soit plus fraîche ? propose le garçon avec entrain. J’en ai plein chez moi. Je peux être de retour dans vingt minutes. Trente minutes max !

Scarlett se gratte la tête un moment. Pourquoi son compagnon se montre-t-il toujours si gentil avec elle ? Hier, il l'a portée dans ses bras pour lui éviter de marcher dans une flaque d'eau. Le jour d'avant, il lui a offert des fleurs et du chocolat pour son anniversaire alors qu'il sait très bien que sa fête est en décembre.

Et le plus drôle, c'est que Spy a lui aussi des comportements étranges depuis quelque temps. Il a même commencé à se coiffer les cheveux avant de venir au quartier général !
**Dans quel but ?**
Et la semaine dernière, les deux garçons se sont disputé une place près d'elle sur la grande balançoire du parc.

Que se passe-t-il ? Ses amis ont-ils quelque chose à prouver ? À se faire pardonner ? Pour quelle raison souhaitent-ils l'impressionner ?

Scarlett réfléchit fort. Elle se frotte le menton avec la main, comme le fait son père lorsqu'il est perdu dans ses pensées. Soudain, une idée lui vient en tête. Une idée à dormir debout…

— Est-ce que… Est-ce que vous êtes amoureux de moi, **par hasard ?**

La réaction des deux garçons est un aveu en soi. Spy rougit jusqu'à la racine des cheveux, les yeux écarquillés, et Jimmy bafouille quelques bouts de phrases :

— **Hein ? Quoi ? Non !** Je ne... Tu es mon amie depuis toujours !

Scarlett se cache
la bouche avec la main,
un peu sous le choc, et
articule d'une voix vive :

# Chapitre 2

## Ce message s'autodétruira dans 3... 2... 1...

Comment réagir à une telle annonce ? Scarlett s'estime trop jeune pour avoir un amoureux ! Et même si elle était assez vieille pour ces choses-là, elle ne choisirait pas quelqu'un parmi ses amis ! Le problème, c'est qu'elle a peur de blesser Spy et Jimmy Bond si elle

leur dit la vérité.
En plus, s'ils ont de la peine, ils risquent de s'éloigner… et peut-être même de laisser tomber SPY-BOND-007.

**CE QUE SCARLETT NE SOUHAITE POUR RIEN AU MONDE !**

Elle doit trouver le moyen de garder ses collaborateurs près d'elle... sans les chagriner, évidemment ! Elle pourrait les attacher, mais ça ne serait ni très pratique ni très gentil. Elle pourrait aussi leur faire signer un contrat qui les obligerait à rester à l'agence jusqu'à la fin de leurs jours, mais ça ne serait pas très professionnel.

Elle doit les motiver
et les encourager
à se donner à fond.

**OH !**

**ELLE A UNE IDÉE !**

Scarlett s'empare
d'une feuille et d'un
crayon, et commence à
écrire sous l'œil intéressé

des deux garçons.
Elle cache son travail
du mieux qu'elle le peut,
la langue sortie, le bras
allongé sur la table,
et tend finalement
le bout de papier
à ses coéquipiers.

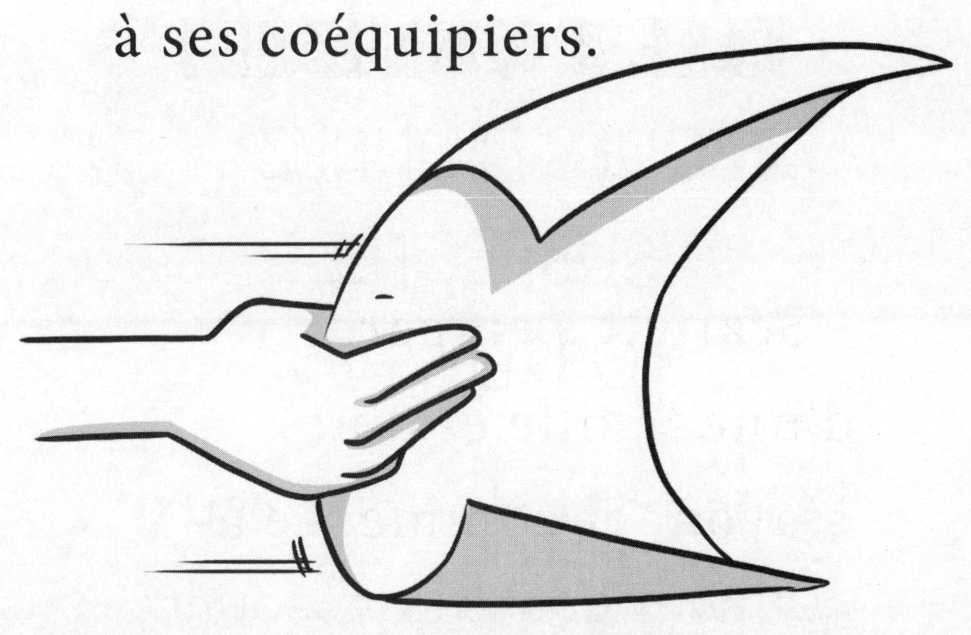

★ ★ ★ ★ ★ ★ ★ ★ ★ ★

# ★ MISSION SPÉCIALE ★

★ ★ ★ ★ ★ ★ ★ ★ ★ ★

Chers agents, votre mission, si toutefois vous l'acceptez, est la suivante :

ESPIONNEZ.
QUESTIONNEZ.
SUSPECTEZ.
OBSERVEZ.

Le premier de vous deux qui parviendra à résoudre

la prochaine enquête remportera un incroyable privilège : celui de m'inviter à une sortie officielle.

BONNE CHANCE !

ATTENTION !
Ce message
s'autodétruira
dans cinq secondes.
Quatre...
Trois...

Une fois sa lecture terminée, Jimmy Bond s'empresse de chiffonner la feuille et de la jeter par terre, les yeux remplis d'effroi. Voyant que le billet est toujours intact, Spy fronce les sourcils et ronchonne :

— Ça ne fonctionne pas, ton système **d'autodestruction !**

— Bien sûr que oui !
**Regarde !**

Scarlett se lève et
saute sur le papier.
Elle le piétine un moment,
le déchire avec ses
chaussures et pousse
les morceaux déchiquetés
du bout des pieds jusqu'à
ce qu'ils atterrissent
près de la poubelle.

— **Et voilà !** lâche-t-elle en frottant ses mains l'une contre l'autre d'un air satisfait. C'est aussi simple que ça ! Alors ? Qu'est-ce que vous pensez de ma mission spéciale ?

— Ben, en fait, je crois que j'ai mal saisi, bredouille Jimmy Bond d'un air embarrassé. Tu veux récompenser celui qui parviendra à boucler la prochaine enquête le premier, c'est bien ça ?

— **Exactement !**

— Et la fameuse récompense, ce serait...

**TOI ?**

— Je vois que tu as tout compris !

— Mais tu es une fille, Scarlett, pas un trophée.

— **Nom d'une moustache !** Je sais bien que je suis une fille ! rétorque-t-elle en relevant les sourcils. J'essaie juste de mettre un peu de piquant dans notre mission.

— Oui, je comprends, mais je trouve que ce n'est pas très respectueux, souffle le garçon, hésitant.

Ça me rend un peu mal à l’aise…

Alors que Jimmy Bond se gratte la nuque nerveusement, Spy, de son côté, semble tout à fait emballé par l’idée. Il regarde son collègue et lui lance sur un ton de défi :

— As-tu peur de perdre ? C'est pour ça que tu refuses de participer ?

— **Pas du tout !** riposte aussitôt Jimmy. Je suis un excellent espion, tu sauras !

Visiblement, le garçon est à court d'arguments. Paniqué, il lève un doigt en direction de la porte.

**– ON N'A MÊME PAS DE CLIENT !**

— Et si on en avait un, là, maintenant, **accepterais-tu le défi ?**

— **Absolument !**

Tu vois que je n'ai pas peur de perdre ?
Et je peux t'assurer que je vais tout faire pour...

Jimmy Bond arrête de parler, étonné par cette interruption soudaine. Il cligne des yeux à plusieurs reprises et tourne la tête en direction de l'entrée. Il interroge Spy du regard, mais celui-ci hausse les épaules pour montrer qu'il n'y est pour rien. De son côté, Scarlett est déjà sur ses pieds, prête à aller ouvrir. Serait-ce le début d'une nouvelle mission ? **ENFIN !** Elle a trop hâte de connaître la nature de sa prochaine aventure !

# Chapitre 3

## C'est loin d'être chouette, perdre une chaussette !

Scarlett est très fébrile. Elle est vraiment excitée à l'idée de découvrir l'identité de la personne qui leur rend visite… ainsi que la raison de sa venue !

Elle ouvre la porte d'un coup sec et se retrouve nez à nez avec un petit homme chauve, plutôt rondelet, avec un nez presque aussi grand que celui de Cyrano. Jimmy le reconnaît immédiatement.

— Monsieur Pomme d'Api ? **Qu'est-ce que vous faites ici ?**

— Tu le connais ? demande Scarlett avec étonnement.

— **Bien sûr !** répond Jimmy Bond. Il enseigne à notre école. On le voit tous les jours depuis qu'on est en maternelle !

— **Ah oui ?** Vraiment ? murmure la jeune espionne en tournant autour du nouveau venu, incertaine. Son visage m'est totalement inconnu, pourtant.

— Est-ce que je peux entrer ou pas ? lâche monsieur Pomme d'Api d'un ton impatient. J'ai besoin de vos services **IMMÉDIATEMENT !**

C'est une question
de vie ou de mort !

— De vie ou de mort ?
répète Spy, alarmé.
**C'est du sérieux !**
Venez vite vous asseoir !

L'homme bedonnant
pénètre dans le quartier
général et prend place
sur une chaise, sous
l'œil attentif de Scarlett.
La jeune fille aime bien

deviner la raison de la présence de ses clients **AVANT** qu'ils commencent à parler. Elle observe donc l'enseignant de la tête aux pieds, l'air grave. À l'aide d'une loupe, elle inspecte chaque partie de son corps, chaque fibre de ses vêtements et chaque grain de poussière. Au bout de quelques secondes, elle lève un doigt avec fierté :

— Je crois que j'ai trouvé. Vous avez un problème avec vos sourcils, c'est ça ?

— **Hein ?** Bien sûr que non... Qu'est-ce qu'ils ont, mes sourcils ? Ils ne sont pas à ton goût ?

— Ils sont très épais, alors je me disais qu'on vous avait peut-être greffé des poils de barbe au-dessus des paupières pendant votre sommeil. C'est possible, vous savez.

— **Franchement !** hoquette Spy, découragé par l'imagination débordante de son amie. C'est tiré par les cheveux comme théorie !

— **Oh ! Je sais !**

reprend Scarlett, convaincue d'avoir visé juste, cette fois. On a volé votre poisson rouge pendant votre sommeil. Et maintenant, vous souhaitez le retrouver parce qu'il est votre plus fidèle compagnon.

À l'autre bout de la table, Jimmy Bond ouvre grand les yeux, le regard brillant d'admiration.

— Tu m'impressionneras toujours ! Comment as-tu fait pour découvrir la vérité si rapidement ?

— **Bah !** C'est simple, explique la jeune fille en relevant le menton avec fierté. J'ai analysé les indices qui se sont présentés à moi, **c'est tout.** Et il y en a plusieurs, tu peux me croire !

Scarlett fait le tour de son client et commence ses explications :

— Son t-shirt est mouillé à certains endroits, vois-tu, ce qui me laisse croire qu'il a plongé les mains dans les toilettes pour tenter de retrouver son poisson. Et son visage est triste, alors j'en conclus qu'il a beaucoup de chagrin… Le genre de peine qu'on ressent quand on perd un animal de compagnie. J'ai raison, monsieur Pomme d'Api ?

— Pas vraiment, répond l’homme en secouant la tête de découragement. Tes idées sont tout à fait saugrenues, mademoiselle. Je n’ai jamais eu de poisson rouge. Ni bleu, d’ailleurs. **Je déteste** les animaux.

— **Pour vrai ?** Hum, j'étais convaincue d'avoir raison, pourtant. Expliquez-moi pourquoi votre t-shirt est mouillé, dans ce cas.

— Parce qu'il fait terriblement chaud, aujourd'hui. Tu n'as pas remarqué ? On suffoque ! Ce n'est pas de l'eau de la toilette qui coule

dans mon dos, c'est
de la transpiration.

— Ah, d'accord, dit
Scarlett en se grattant
la nuque, embêtée.
De la transpiration…
Bien sûr, j'aurais dû y
penser. **Et votre visage ?**

— Qu'est-ce qu'il a,
mon visage ?

— Pourquoi est-il si triste ?

— Parce que j'ai perdu ma **chaussette chanceuse !** s'écrie monsieur Pomme d'Api avec impatience. Tu le saurais depuis longtemps si tu m'avais laissé parler !

— Hum, une chaussette chanceuse, hein ? répète Scarlett en grimaçant. **Bon, OK.** J'aurais préféré chercher un poisson rouge, mais on va s'adapter. Voyez-vous, je n'ai jamais aimé les vêtements qui sentent mauvais.

Spy et Jimmy Bond se raidissent instantanément sur leur chaise, étonnés par le manque de délicatesse de leur amie. Pendant ce temps, le client pince les lèvres, visiblement insulté. Spy s'empresse d'intervenir afin de limiter les dégâts :

— On est vraiment désolés d'apprendre que vous avez perdu un bien précieux, affirme-t-il d'une voix mielleuse. On fera **tout notre possible** pour vous aider à le retrouver, **soyez-en assuré**. On va commencer nos recherches **DÈS AUJOURD'HUI.**

— Merci, répond monsieur Pomme d'Api, reconnaissant. Je savais que je pouvais compter sur vous. Ce bout de tissu peut paraître insignifiant, mais je l'ai toujours avec moi. **TOUJOURS !**
Et la semaine prochaine, ce sera la rentrée scolaire ! Vous imaginez cette journée **SANS** mon porte-bonheur ?
Ce serait ***l'horreur !***

— On va se mettre au travail, dans ce cas ! propose Jimmy Bond en allumant son iPod pour démarrer un enregistrement. Parlez-nous un peu de cette fameuse chaussette, voulez-vous ? Quand l'avez-vous aperçue pour la dernière fois ?

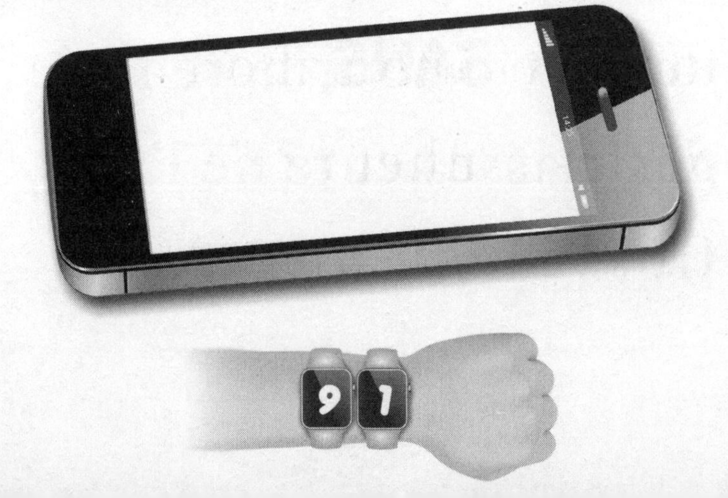

— Il y a deux jours, explique l'homme d'une voix triste. J'ai d'abord cru que je l'avais rangée dans le tiroir de ma commode avec mes autres sous-vêtements. C'est seulement ce matin que je me suis rendu compte de sa disparition. Je préparais ma trousse de survie pour la rentrée des classes et je ne l'ai trouvée **nulle part**.

— En quoi consiste cette trousse ? lui demande Scarlett, soudainement intéressée.

— C'est une pochette qui contient tout ce qu'il me faut pour passer à travers la première journée d'école : ma chaussette chanceuse, ma tasse à café extra extra large, mon sifflet d'armée, ma lotion antigermes,

ma boule antistress,
mes bouchons antibruit
et ma bague antivomi.

Scarlett grimace.
Elle n'a jamais entendu
parler d'une bague
antivomi et elle n'est pas
certaine de vouloir en
apprendre plus à ce sujet.
Elle ne pensait pas que
les enseignants avaient
besoin de tels accessoires
pour travailler.

Ses camarades de classe sont-ils si terribles ? Quoi qu'il en soit, monsieur Pomme d'Api semble très attaché au contenu de cette fameuse trousse de survie, alors elle doit tout mettre en œuvre pour retrouver **au plus vite** la chaussette disparue !

— **OK!** On doit établir un plan de match ! annonce-t-elle, pressée de commencer. Donnez-nous votre adresse, et on ira vous rejoindre dès qu'on sera prêts, **ça vous va ?**

— Oui, d'accord, répond l'homme en essuyant son front humide du revers de la main. Je vous attendrai avec impatience.

Scarlett accompagne l'enseignant jusqu'à la porte, le remercie pour sa confiance et se tourne vers ses amis, le visage radieux.

# Chapitre 4

## Super phénix cobra noir

Scarlett déborde d'énergie, tout à coup. Elle sauterait partout tellement elle est contente ! Elle a attendu ce moment tout l'été !

**Elle est prête !**

— Avant de commencer, déclare-t-elle en posant les mains sur la table,

on doit se trouver
un nom de mission.

— Un nom de mission ?
demande Jimmy.
**Pourquoi ?**

— Parce que c'est
ce que font les **GRANDS ESPIONS !** Ça rend
la tâche plus officielle,
plus mystérieuse.
On va avoir l'air
de vrais professionnels.

Que pensez-vous de
« **Super chaussette** » ou
« **Chaussette disparue** » ?

Assis sur la chaise à sa droite, Spy plisse le nez et fait non de la tête.

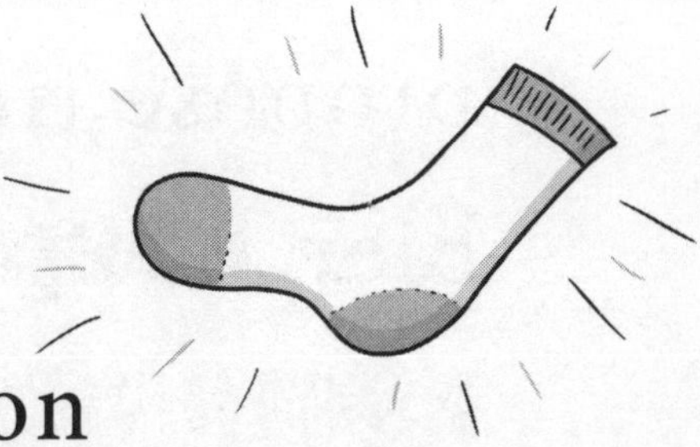

— Je crois qu'on doit être plus discrets. À mon avis, on ne doit pas mentionner l'objet de notre enquête.

J'irais plutôt avec un nom d'animal comme **« Super phénix »** ou **« Cobra noir »**.

— Si on faisait un mélange des deux ? propose Jimmy. J'aime bien **« Super cobra »**.

— **Encore mieux !** s'écrie Scarlett en frappant sur la table avec le poing. Allons-y pour une combinaison **explosive** :

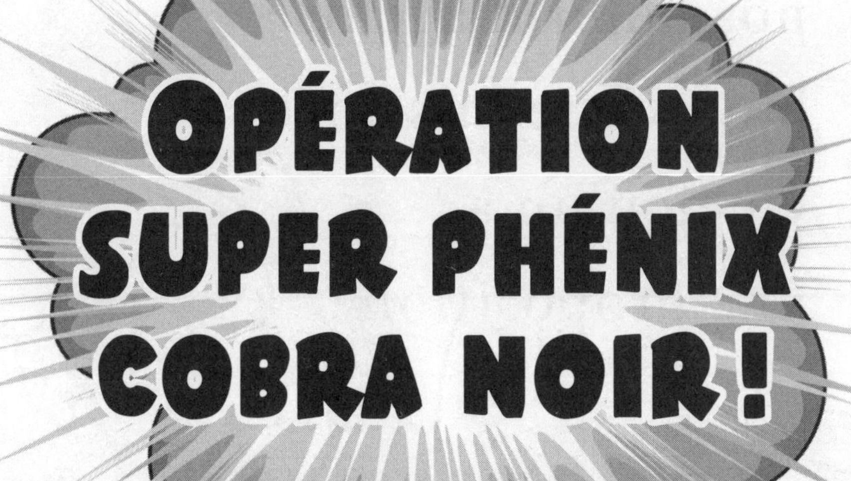

— Euh, c'est un peu long, il me semble, signale Spy, un sourcil relevé.

— Au contraire, **c'est parfait !** Et on doit également trouver nos noms d'agents pour cette mission. Quelqu'un a une proposition ?

Les garçons haussent les épaules en silence. Ils ne semblent pas emballés par le projet. Pendant ce temps, Scarlett réfléchit aussi vite qu'elle le peut. Enfin, elle lève un doigt pour montrer qu'elle a une idée.

— **Je sais !** À partir de maintenant et jusqu'à la fin de l'opération Super phénix cobra noir, vous m'appellerez **OMBRE OBSCURE**. Et pour toi, Spy, ce sera... ce sera...

— **Cool !** fait le garçon en se levant pour faire semblant de voler dans la petite pièce. Je suis un esprit... **FSHIIII !** **FSHIIII !** Un être invisible qui flotte et qui se déplace plus vite que le vent !

— **Et moi ?** demande Jimmy Bond avec impatience. Quel est mon nom d'agent ?

— Toi, c'est **Lièvre BONDISSANT!**
annonce Scarlett
avec fierté.

Le visage du garçon
se métamorphose
instantanément.
Son sourire disparaît,
sa bonne humeur aussi.
Un gros pli apparaît
même sur son front.

— **Lièvre BONDISSANT ?**

répète-t-il, visiblement insulté. Je ne suis pas un lapin, **franchement !** Je suis un espion ! J'ai l'œil vif ! Je suis rapide, je suis agile, je suis dis

— Comme un lièvre ! dit Spy en se moquant de son ami. Moi, je trouve que ça te va à merveille !

— **Ah oui ?** Prends-le, mon nom, dans ce cas, si tu le trouves beau à ce point !

— **Impossible**, j'ai peur des animaux !

— **Bon, bon, bon !**
Ça suffit, vous deux !
intervient Scarlett en
posant les mains sur ses
hanches. On doit préparer
notre plan de match
si on veut retrouver
la chaussette de monsieur
Pomme d'Api **AVANT**
la rentrée. ***Au travail !***

# PLAN DE MISSION N° 1

## OPÉRATION SUPER PHÉNIX COBRA NOIR

Lieu :

123, rue des Chenapans

Responsabilités de chacun :

(Scarlett 007)

OMBRE OBSCURE :

Fouiller la résidence
du client. Relever
les empreintes, identifier
les éléments étranges

et prendre le maximum
de photos possible.

(Spy)

GHOST :
Quadriller le quartier et
interroger les témoins
afin d'élaborer une liste
de suspects.

(Jimmy Bond)

LIÈVRE BONDISSANT :
Surveiller l'espace autour
de la maison de monsieur
Pomme d'Api et noter
toute activité louche.

Avant de partir,
les espions ont besoin
d'une bonne préparation.
GHOST glisse un
calepin et un crayon
au fond de sa poche, et
vérifie que son iPod est
suffisamment chargé.
LIÈVRE BONDISSANT
revêt des vêtements
foncés, une casquette
et des lunettes de soleil.
Il prend aussi le temps
de sélectionner quelques

provisions au cas où la
mission se prolongerait.
Quant à OMBRE OBSCURE,
elle enfile un long
manteau noir qui lui
descend jusqu'aux genoux.

— Tu vas avoir
beaucoup trop chaud avec
ça, la prévient GHOST,
les sourcils froncés.
Il fait à peu près trente
degrés dehors !

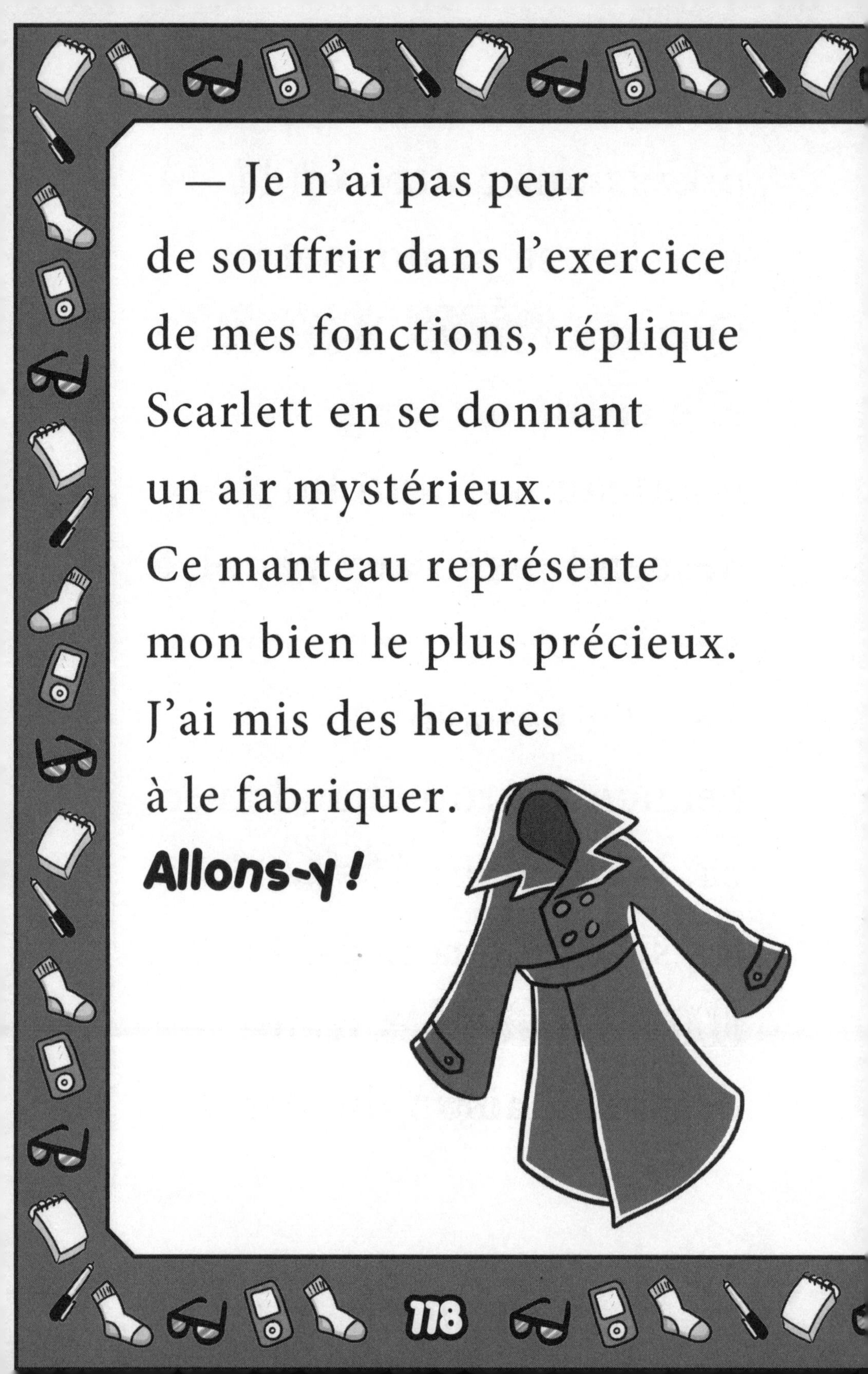

— Je n'ai pas peur
de souffrir dans l'exercice
de mes fonctions, réplique
Scarlett en se donnant
un air mystérieux.
Ce manteau représente
mon bien le plus précieux.
J'ai mis des heures
à le fabriquer.
**Allons-y !**

Les trois collègues se rendent rapidement chez monsieur Pomme d'Api. Aussitôt arrivés, ils se séparent afin de mener à bien chacun sa propre mission. Pendant que GHOST interroge les voisins et que Lièvre Bondissant se charge de la surveillance, OMBRE OBSCURE entre dans la maison du client

pour inspecter la salle
de lavage.

Un **incroyable** désordre
règne dans la petite pièce.
On dirait qu'une tornade
a frappé tellement
il y a du linge **partout !**
Mal à l'aise, monsieur
Pomme d'Api assure
qu'il a l'habitude
d'être plus soigneux
et que c'est le méchant

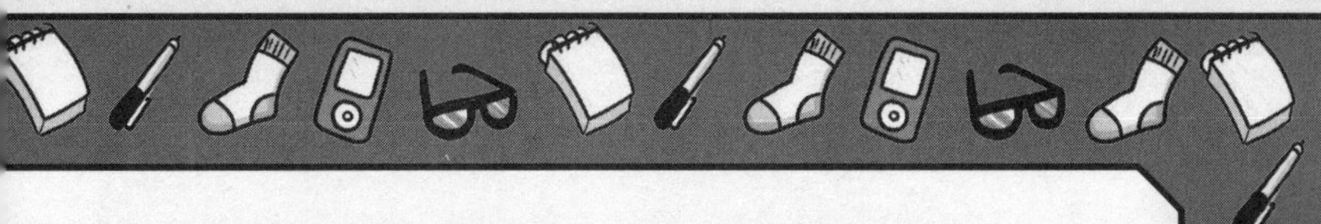

voleur qui a tout mis sens dessus dessous.

Scarlett ouvre un pan de son manteau et en ressort une paire de gants. Un vrai agent secret ne laisse aucune empreinte derrière lui. Ensuite, elle s'empare d'une loupe, d'une pince à épiler et d'un sac de plastique transparent. À l'aide de ces accessoires,

elle déplace des vêtements, observe les tissus, collecte des fibres et récolte toutes sortes d'échantillons.

— Je ferai des analyses plus poussées lorsque je retournerai au quartier général, explique-t-elle devant l'air interrogateur de son client.

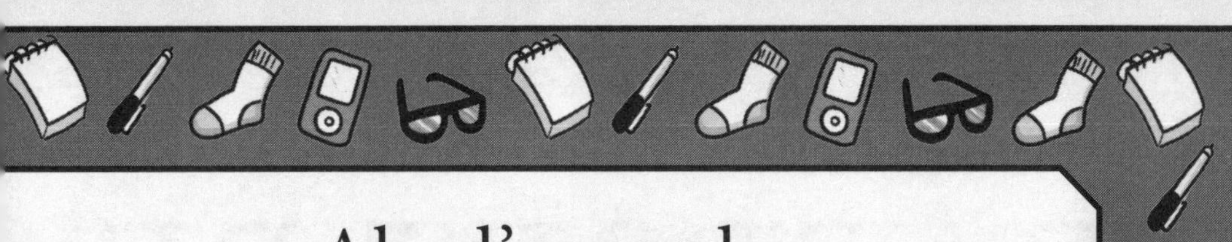

— Ah, d'accord. Vous êtes de vrais professionnels, **dis donc !**

Scarlett hoche la tête en guise de remerciement et continue son inspection. Elle doit soigner ses recherches et penser à tous les petits détails.

# RAPPORT DE

Agent :

OMBRE OBSCURE

Mission :

Inspecter la résidence.

Résultat :

Les empreintes relevées dans la salle de lavage révèlent la présence de confiture aux fraises et non de sang, comme je l'avais d'abord cru (test de goût effectué par moi-même).

# MISSION N° 1

Le méfait semble s'être déroulé dans cette pièce, parmi les vêtements sales et les produits nettoyants. J'ai constaté un grand nombre de tenues éparpillées au sol. Selon le témoignage du client, trois chaussettes dépareillées manqueraient à l'appel en plus de son porte-bonheur. Un avis de recherche a été lancé sur Inter-Ti-Paul, notre réseau de liaison personnalisé.

# RAPPORT DE

Agent :

GHOST

Mission :

Interroger les témoins.

Résultat :

J'ai discuté un bon moment avec madame Fouine, la voisine. Elle a passé toute la journée devant la fenêtre de son salon. Elle prétend n'avoir rien vu, mais

# MISSION N° 1

j'ai l'impression qu'elle me cache quelque chose. De quoi a-t-elle peur ? Quelqu'un l'aurait-il menacée ? Serait-elle complice ? Ou pire, coupable ? Ma liste de suspects vient donc de grimper à... UN (pour le moment). C'est mieux que rien.

# RAPPORT DE

Agent :

LIÈVRE BONDISSANT

Mission :

Surveiller les environs.

Résultat :

Je déteste la surveillance ! C'est long, c'est ennuyeux et surtout, ça donne faim. Heureusement que j'avais apporté quelques réserves de nourriture. Le temps

passe beaucoup plus vite
avec un pain baguette,
du pâté de pattes de
canard, du fromage de
brebis d'Antarctique et
des œufs de vipère. Oh !
Je me suis même fait
un ami ! Je n'ai peut-être
pas résolu notre enquête,
mais je nous ai trouvé un
allié de taille. J'ai hâte de
le présenter aux autres !

# Chapitre 5

# Un collaborateur poilu ? Pourquoi pas ?

Où es-tu,
Lièvre
Bondissant ?

Je suis au QG.

Déjà ?
Pourquoi es-tu
parti sans nous ?

Impossible de rester. Bouboule était trop agité, il nous aurait fait repérer.

C’est qui, ça, Bouboule ?

C'est notre
nouveau
collaborateur.

Quoi ?
Tu as engagé
un autre
enquêteur
sans nous consulter ?
Tu parles d'un nom,
en plus !

Tu vas l'adorer ! Il est gentil, il est drôle et il a un flair incroyable. Il nous sera très utile !

Je te rejoins !

Hé ! Attends,
Scarlett !
Je viens,
moi aussi !

Lorsqu'ils arrivent au quartier général, les deux amis s'arrêtent devant la porte pour établir un plan de match. Pas question d'entrer sans avoir d'abord espionné ce **mystérieux intrus !**

— Passe par la droite, je prends à gauche, ordonne Scarlett avec autorité. On se rejoint derrière.

— **OK !**

La jeune fille longe le côté du bâtiment sur la pointe des pieds, tous les sens en alerte. Elle lève les mains à la hauteur de ses yeux, comme pour

simuler des jumelles,
et avance jusqu'à la petite fenêtre, prête à découvrir ce qu'il y a à l'intérieur.

— **Zut !** Les rideaux sont tirés, marmonne-t-elle avec déception.

— Bien sûr, c'est toi qui nous as demandé de les garder fermés en tout temps, chuchote Spy.

Scarlett sursaute violemment. Son ami n'est pas censé se trouver à côté d'elle !

— Qu'est-ce que tu fais là ? Je t'ai dit de passer **par la droite !**

— C’est ce que **j’ai fait**, aussi, se défend le garçon. Mais le QG est minuscule, ça m’a pris dix secondes pour en faire le tour.

— **Ah, ouin...** OK, suis-moi, dans ce cas. On doit trouver un meilleur point d’observation.

L'espionne rejoint l'arrière du bâtiment sans faire de bruit. Elle fouille à l'intérieur de son manteau et s'empare d'un long tube de plastique. Ensuite, elle se couche à plat ventre sur le sol. Une fois bien installée dans les cailloux et la poussière, Scarlett pousse le tuyau dans une petite fente du mur et colle un œil à l'extrémité.

— Qu'est-ce que tu vois ? chuchote Spy.

— Rien pour l'instant. Mais ça sent vraiment drôle, tu ne trouves pas ?

La jeune fille insère le nez dans le trou du tube et renifle un grand coup.

**SNIFFFF !**

— **Étrange... Très, très étrange...** On dirait des vieilles chaussettes mouillées qui auraient été jetées en tas dans le fond d'un panier à linge. **OH !** Une odeur

de CHAUSSETTES MOUILLÉES ? **Nom d'une moustache !**

Jimmy détient peut-être un suspect ! Je parie qu'il est en danger !

Scarlett s'apprête à se relever, mais, au même moment, quelqu'un à l'intérieur du QG lui enlève son outil des mains.

— **Hé ! C'est à moi !**

La jeune fille bondit sur ses pieds, agrippe

Spy par le chandail et l'entraîne derrière elle à toute vitesse. Lorsqu'elle ouvre la porte de la vieille bâtisse, une jolie bête poilue lui saute dessus.

— **Oh !** Bidule est un chien ? s'exclame Scarlett avec joie. Comme il est **mignon !**

— Il s'appelle **Bouboule !** la reprend Jimmy en souriant. Eh oui, c'est un chien ! Qu'est-ce que tu croyais ?

L'espionne ne répond pas. Elle est trop occupée à caresser l'animal, qui lui lèche aussitôt le visage de sa langue humide.

— Je l'aime déjà ! C'est à qui le toutou ? **Hein ?** C'est à qui le beau toutou ? Tu veux mener mener ? Viens, on va mener mener !

Scarlett fait signe à la bête de la suivre et disparaît dans le parc. Pendant ce temps, Spy demeure figé dans l'entrée, le teint blême. À voir son visage terrifié, on pourrait croire qu'il est encerclé par une horde de loups affamés.

— **Pou… pourquoi tu… tu as amené un chien ici ?** bégaie-t-il, la voix étranglée.

— Je n'ai pas eu tellement le choix, répond Jimmy en haussant les épaules. Il m'a suivi tout l'après-midi. Je pense qu'il m'aime bien.

— Oui, mais tu sais que j'ai peur des animaux, pourtant ! proteste Spy en s'agrippant au montant de la porte, les mains tremblotantes. Je parie que tu l'as fait exprès. C'est une stratégie pour résoudre l'enquête avant moi, c'est ça ? Tu espères augmenter tes chances de sortir avec Scarlett en m'effrayant avec un chien ?

— **Pas du tout !** dit Jimmy pour se défendre, visiblement étonné par les accusations de son ami. Je voulais le rendre à ses propriétaires, mais il n'a pas d'adresse ni de numéro de téléphone sur son collier.

— **C'est ça, oui ! Je suis sûr que tu mens !**

Alors que les aboiements de la petite bête poilue se font entendre au loin, Spy tourne les talons et claque la porte derrière lui, mécontent.

# Chapitre 6

## Mais qu'est-ce qu'une chaussette-camouflette ?

Les jours suivants, les agents de SPY-BOND-007 travaillent sans relâche à retrouver le voleur de la chaussette de monsieur Pomme d'Api. Tandis que Scarlett met la maison du client sur écoute à l'aide d'un dispositif **ultraperfectionné** – un émetteur-récepteur

pour les chambres
de bébés –, Jimmy, lui,
tente par tous les moyens
d'apprendre à Bouboule
à enquêter. Il lui montre à
suivre une piste, à repérer
un suspect, à chercher
des indices et à aboyer
bien fort quand il fait une
découverte intéressante.

Le problème, c'est que l'animal préfère jouer plutôt que travailler. Il jappe pendant les opérations de surveillance, déchiquette des preuves avec ses longues dents acérées et laisse des traces de bave partout sur son passage. Et quand ses amis essaient de se concentrer, il tourne en rond dans le quartier général pour attirer leur attention.

Bref, il est **loiiiin** de se montrer utile. Spy, qui a encore très peur de lui, a bien tenté de convaincre Jimmy Bond d'aller le porter dans un refuge pour animaux abandonnés, mais sans succès.

WOUAF!
WOUAF!
WOUAF!

— Bouboule fait partie de l'équipe maintenant, répète-t-il sans cesse. Déjà qu'il disparaît tous les soirs pour aller je ne sais où, je ne vais pas l'abandonner en plus !

Malgré les protestations de Spy, Scarlett est d'accord avec Jimmy : le petit chien doit rester. Si au moins il se montrait utile… Malheureusement,

l'été est terminé, et les trois coéquipiers n'ont toujours pas retrouvé la chaussette chanceuse de monsieur Pomme d'Api.

Le jour de la rentrée, ils ont la mine bien basse lorsqu'ils se présentent dans la cour d'école, avec chacun un énorme sac à dos sur les épaules.

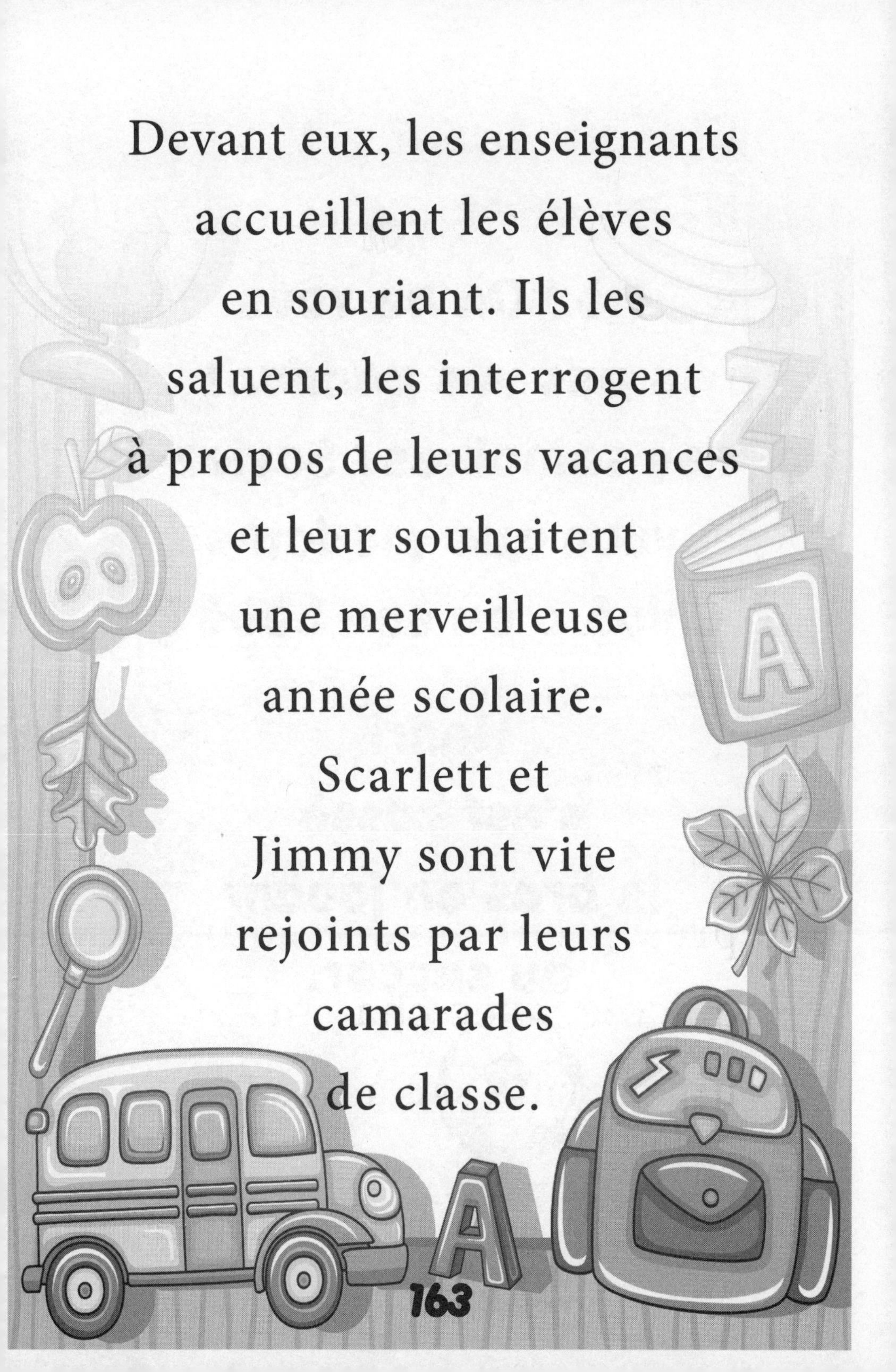

Devant eux, les enseignants accueillent les élèves en souriant. Ils les saluent, les interrogent à propos de leurs vacances et leur souhaitent une merveilleuse année scolaire.

Scarlett et Jimmy sont vite rejoints par leurs camarades de classe.

Hé ! On ne vous
a pas vus pendant
des semaines ! Saviez-
vous que madame
Chloé a eu son bébé ?

Henri
s'est cassé
le bras en jouant
au soccer.

Damien et Léa-Kym
se sont donné un bisou
la semaine dernière !

On est tous dans
la classe de monsieur
Pomme d'Api !
C'EST COOL, HEIN ?

OH ! Il y a
un nouvel
élève ?

Un nouvel élève ?

**Nom d'une moustache !**

Scarlett tourne la tête en direction de Spy ; elle était si préoccupée par le dossier de monsieur Pomme d'Api qu'elle a oublié que son ami vient tout juste d'arriver dans le quartier. Il ne connaît encore **personne** à l'école !

La cloche se fait déjà entendre. Les présentations devront attendre.

Les élèves courent prendre leur rang et

entrent dans l'école
en silence.

— Avez-vous vu
le visage de monsieur
Pomme d'Api ? chuchote
Scarlett en déposant
son sac à dos sur
le crochet identifié
à son nom. **Il a l'air
terrorisé.** On aurait
vraiment dû retrouver
sa chaussette chanceuse.

— Moi, je dis qu'elle a été jetée aux poubelles par erreur, murmure Jimmy d'une voix défaitiste. Elle est perdue à jamais.

— Possible, approuve Spy en marchant en direction de la classe. Ce ne sera pas la première chaussette à disparaître. Ça arrive **super souvent** chez nous.

— Oui, mais quand même, dit Scarlett en soupirant. Cet objet a une valeur sentimentale pour monsieur Pomme d'Api. Je me demande comment il va s'en sortir.

Les trois amis ne tardent pas à le savoir. Une fois que tout le monde est entré en classe et s'est choisi un pupitre, l'enseignant frotte ses mains d'un geste nerveux

avant de s'adresser
au groupe :

— Je... allô, mes cocos, bafouille-t-il en essuyant son crâne luisant de sueur. Je suis... Je vous souhaite la bienvenue. Voilà, c'est tout ce que j'ai à dire pour le moment. Bonne journée !

Et il court s'asseoir derrière son bureau.

Scarlett est très mal à l'aise. C'est en partie sa faute si monsieur Pomme d'Api est à ce point terrorisé. Elle aimerait l'aider à se sentir mieux, mais aucune idée miraculeuse ne lui vient en tête.

Pendant toute la matinée, l'enseignant enchaîne les gaffes les unes après les autres. Il renverse du café sur sa chemise, se mouche avec sa cravate, oublie la récréation, grignote une craie en croyant qu'il s'agit d'un crayon et s'assoit même sur un élève au lieu de prendre place sur sa propre chaise.

Lorsque la cloche sonne, c'est avec soulagement que Scarlett quitte la classe pour aller dîner.

— **Nom d'une moustache !** Tu parles d'une première journée ! s'exclame-t-elle en déposant son manteau d'espionne à ses côtés. On est mieux de mettre la main sur sa chaussette chanceuse au plus vite,

sinon, on risque de trouver l'année longue !

— Oui, mais comment ? demande Jimmy Bond, à court d'idées. On a tout essayé ! Je vous le dis, cette enquête est probablement la plus difficile qu'on ait eue depuis l'ouverture de notre agence.

— C’est seulement la deuxième, rétorque Spy, la bouche à moitié pleine. Je trouve que vous vous découragez facilement !

Jimmy s’apprête à répliquer, mais un cri puissant interrompt la conversation :

Les trois amis tournent la tête d'un même mouvement et découvrent un garçon au teint blême, les yeux écarquillés de terreur. Sur le moment, Scarlett est amusée. Elle a souvent vu des élèves de maternelle jouer aux chasseurs de zombies, au parc, ce qui donne parfois lieu à des scènes très étranges.

Mais cette fois, c'est différent. Un détail cloche... L'espionne ignore **QUEL DÉTAIL**, mais elle a bien l'intention de le découvrir en posant quelques questions à ce garçon. Elle se lève pour l'interroger, mais Spy prend les devants :

— Aurais-tu perdu une chaussette, par hasard ? demande-t-il en baissant les yeux vers les pieds de la victime.

— Je ne l'ai pas perdue, s'écrie l'élève affolé. On me l'a **VOLÉE** ! C'est un **SCANDALE !**

Scarlett se tape le front avec la paume et s'exclame :

— Mais oui, **c'est ça !** Comment ai-je pu manquer ça ? Un de ses pieds est complètement nu ! C'est merveilleux !

— **Eille !** Tu es contente qu'on m'ait dérobé ma super chaussette-camouflette ?

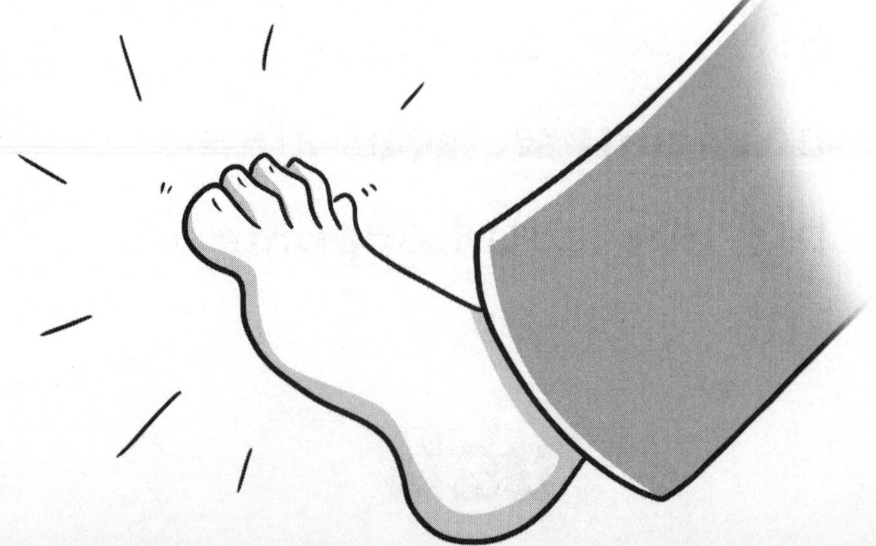

— Non… Bien sûr que non, s'excuse aussitôt Scarlett en levant les mains devant elle. C'est terrible, évidemment. Mais c'est la deuxième fois que cet étrange phénomène se produit en très peu de temps. Si vous voulez bien nous suivre, nous allons prendre votre déposition.

Les trois enquêteurs entraînent la victime vers la table la plus éloignée de la salle à manger et lui proposent de s'asseoir.

— Dites-nous d'abord votre nom, le prie Spy en allumant son iPod.

— Je m'appelle Léo Pop, répond le garçon d'un ton sévère.

— Parfait. Vous vous en sortez très bien, l'encourage Scarlett.

— Merci, mais ce n'est pas nécessaire de me vouvoyer, tu sais. J'ai juste neuf ans.

— Peut-être, mais vous êtes désormais notre client, monsieur Pop. Il est normal qu'on se montre polis. Est-ce qu'on peut vous enregistrer ?

— **Euh...**

— **Super, merci !** Décrivez-nous la chaussette disparue, s'il vous plaît. Plus on aura de détails, plus il sera facile de la retrouver.

— Ben... Elle est **exactement** comme celle-ci, répond Léo en étirant la jambe pour désigner son pied gauche.

Sauf que je la porte
sur l'autre pied.

— **Oui, c'est logique,** convient Spy en hochant le menton. Retirez-la, je vous prie. J'aimerais bien l'examiner.

Jimmy plisse le nez à la vue du bout de tissu usé qui se trouve sur la table devant lui. Prête à tout pour faire progresser

cette enquête, Scarlett s'empare d'une loupe rangée à l'intérieur de son manteau et inspecte les fibres de la chaussette avec attention.

— Hum, intéressant, marmonne-t-elle, concentrée. **Très intéressant...**

— Qu'est-ce qui est intéressant ? demande Jimmy en étirant le cou.

— Rien pour le moment. Mais j'ai souvent rêvé de prononcer cette phrase. Ça me donne un **air professionnel**, vous ne trouvez pas ?

Scarlett reprend son examen. Elle renifle la chaussette...

… la retourne dans tous les sens, et pose même la langue dessus.

— **Ouache !** lâche Spy en grimaçant de façon exagérée. Tu goûtes vraiment toujours à tout,

toi ! D'abord les crottes de lapin de monsieur Pré-Vert et maintenant **ÇA !** C'est tout à fait **dégoûtant !**

— Oui, eh bien, sache que je viens de découvrir un truc **important** grâce à mes super papilles gustatives ! réplique Scarlett avec fierté.

Spy, Jimmy et Léo tendent l'oreille, prêts à connaître tous les détails de la fabuleuse trouvaille.

# Chapitre 7

## Réglisse et caramel salé

Le suspense est à son comble. Scarlett attend quelques secondes, le temps de laisser passer un groupe d'élèves agités derrière elle, et annonce enfin :

— Cette chaussette a été fabriquée en 1920. Elle a été portée par un homme qui travaillait à Londres dans une grande usine de bonbons.

— **Pour vrai ?** s'exclame Jimmy, fasciné par les connaissances de sa copine. Comment le sais-tu ?

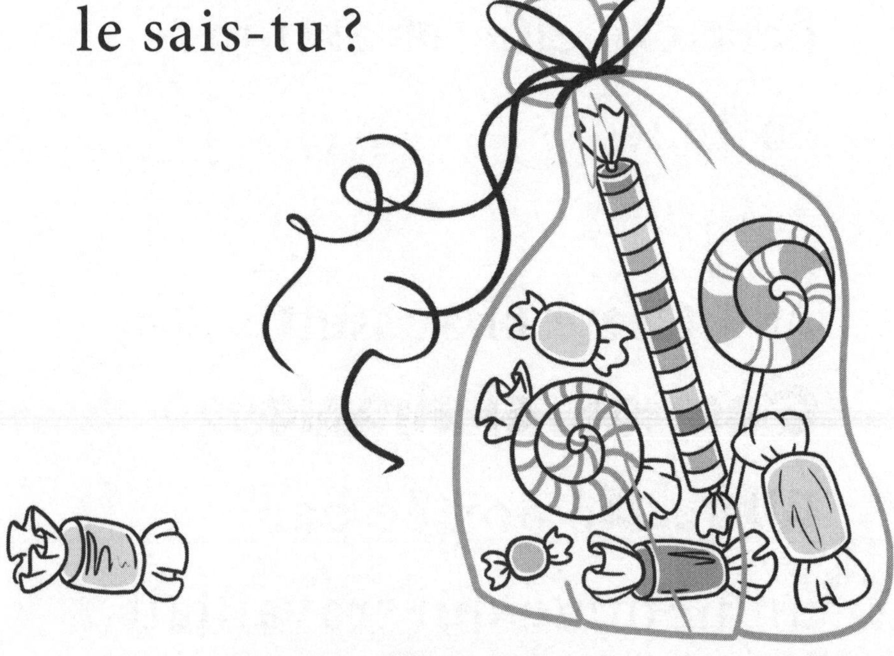

— Facile, explique la jeune fille avec conviction. Il y a un petit coin qui sent la réglisse à la fraise, juste ici, tu vois ? Et là, près du talon, ça goûte le caramel salé. Pour terminer, j'ai remarqué une minuscule trace de colorant vert lime à côté de la pochette intérieure. **C'est aussi simple que ça !**

Jimmy passe une main dans ses cheveux et s'appuie au dossier de sa chaise en laissant échapper un long sifflement. À côté de lui, Spy semble tout aussi émerveillé.

— **C'est incroyable !** Tu es vraiment observatrice ! s'exclame-t-il en souriant.

— **Pas du tout !**

annonce Léo en secouant la tête de gauche à droite. Cette chaussette ne vient pas de Londres. C'est madame Candy qui me l'a tricotée. Elle a même cousu de petites pochettes à l'intérieur pour que je puisse y cacher des bonbons.

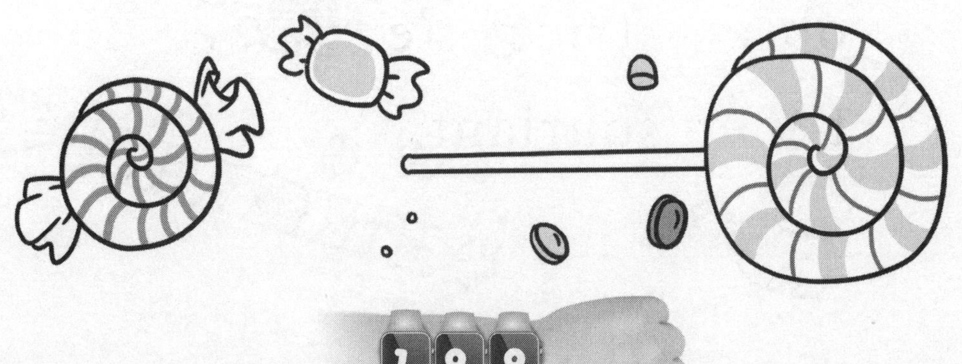

— Pourquoi quelqu'un voudrait-il cacher des bonbons dans un vêtement qu'on porte aux pieds ? demande Spy d'un air dégoûté.

— Pour en manger à l'école, **voyons !** répond le garçon, comme s'il s'agissait d'une évidence.

Jimmy, qui est tout aussi gourmand que Léo – sinon plus –, s'empare du bout de tissu pour l'examiner à son tour. Il le tourne dans tous les sens en murmurant : **« Oh, intéressant… »**

**« Hum, excellente idée. »**
**« J'aimerais bien en avoir une comme celle-là. »**

Voyant que son ami s'éloigne de sa mission, Scarlett s'empresse de lui enlever la chaussette des mains.

— **Pas question** que tu t'empiffres de bonbons pendant

les cours ! proteste-t-elle en faisant les gros yeux. Et toi, ajoute-t-elle en se tournant vers Léo, je note ça à ton dossier, espèce de petit chenapan. Si je comprends bien, tu es le frère d'une certaine Lolly Pop, c'est bien ça ?

— **Exact !** répond fièrement le garçon.

— Et tes parents sont les propriétaires de la confiserie **CROC ! MIAM ! POP !**, c'est bien ça ?

— **Toujours exact !** acquiesce-t-il en levant le pouce.

— Et tu aimes les bonbons, n'est-ce pas ?

— Totalement, extrêmement et COMPLÈTEMENT EXACT !

— C'est bien beau, tout ça, intervient Spy en soupirant, mais on doit se concentrer sur notre enquête. En quoi ces questions vont-elles nous aider ?

— **Aucune idée !**

lâche Scarlett en haussant les épaules. J'aime bien les bonbons, moi aussi, alors je me dis que Léo pourrait nous payer en réglisses et en chocolats au lieu de nous donner des sous. Poursuivons, monsieur Pop, si vous le voulez bien. Quand avez-vous vu votre chaussette gauche pour la dernière fois ?

— La droite, tu veux dire ? corrige le garçon. Parce que la gauche est juste ici, sur la table. C'était tout à l'heure, avant mon cours d'éducation physique. Je change toujours de sous-vêtements pour faire du sport, alors je les ai laissés sur le banc dans le vestiaire.

Scarlett opine du menton et se lève avec assurance.

— **Parfait !** Restez assis pendant qu'on va inspecter les lieux. On reviendra vous voir dès qu'on aura terminé.

— Je peux venir
avec vous ?
propose Léo.

— **Hors de question**.
La scène du crime n'est
pas sécurisée, ça pourrait
être dangereux. OK,
les gars, on se dépêche !
**On a une mission
à préparer.**

# PLAN DE MISSION N° 2

## OPÉRATION SUPER PHÉNIX COBRA NOIR

Lieu :

vestiaire des garçons

Responsabilités de chacun :

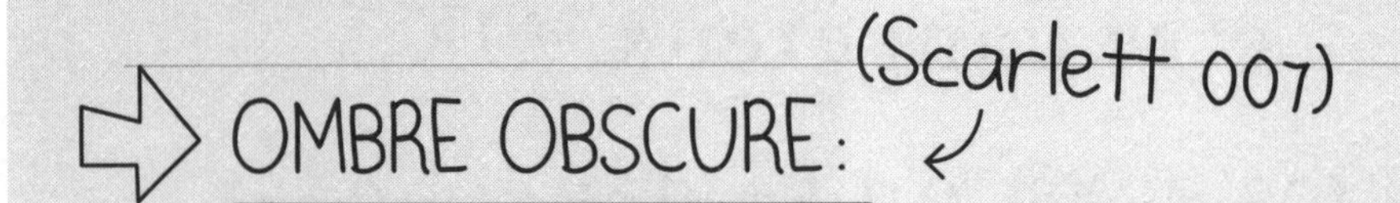


Fouiller les lieux en s'assurant de relever les empreintes, de noter les éléments étranges

et de prendre le maximum
de photos possible.

(Spy)
GHOST :

Interroger les témoins
afin d'élaborer une liste
de suspects.

(Jimmy Bond)
LIÈVRE BONDISSANT :

Surveiller l'espace autour
du vestiaire et répertorier
toute activité louche.

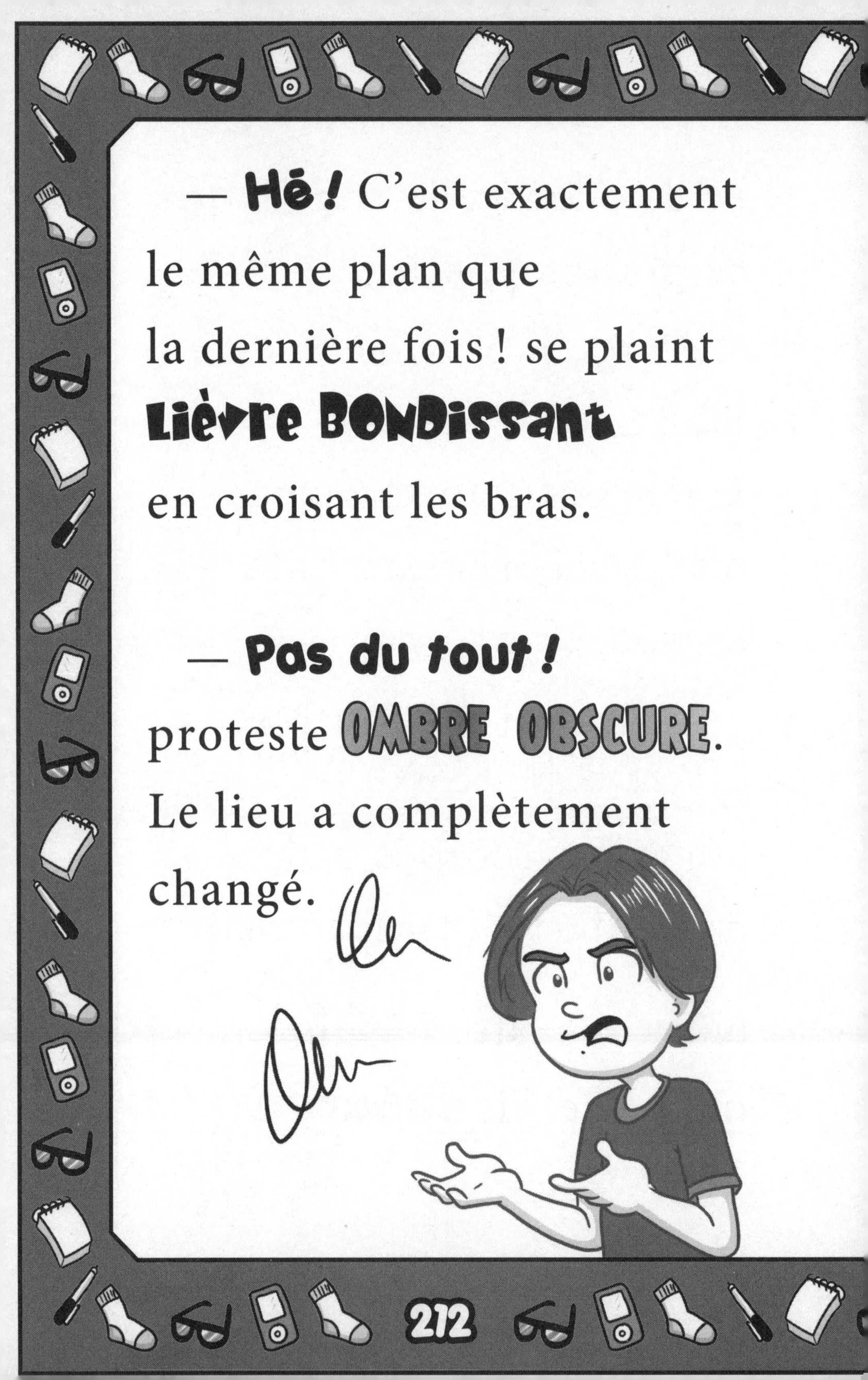

— **Hé !** C'est exactement le même plan que la dernière fois ! se plaint **Lièvre Bondissant** en croisant les bras.

— **Pas du tout !** protestse **OMBRE OBSCURE**. Le lieu a complètement changé.

— Peut-être, mais tout le reste est pareil. Je suis tanné de faire de la surveillance. Je voudrais interroger les témoins, cette fois-ci.

— Et moi, j'aimerais bien relever les empreintes, ajoute GHOST, soudainement plus enthousiaste. Je suis sûr que je serais **super bon !**

OMBRE OBSCURE réfléchit un moment et acquiesce d'un signe de tête. C'est bon, elle se chargera de la surveillance. C'est une de ses forces, alors pas de problème. Elle enfile aussitôt son long manteau.

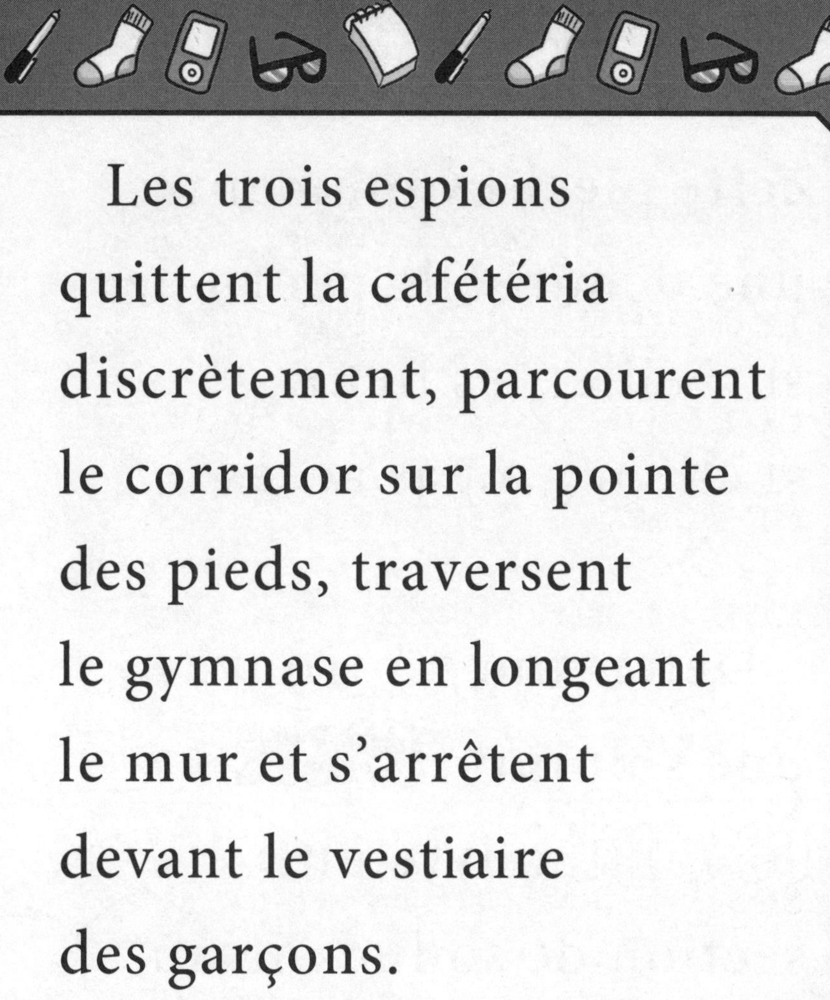

Les trois espions quittent la cafétéria discrètement, parcourent le corridor sur la pointe des pieds, traversent le gymnase en longeant le mur et s'arrêtent devant le vestiaire des garçons.

**OH ! OH !** Il y a un problème ! Un **MÉGA problème !** Les filles sont interdites dans

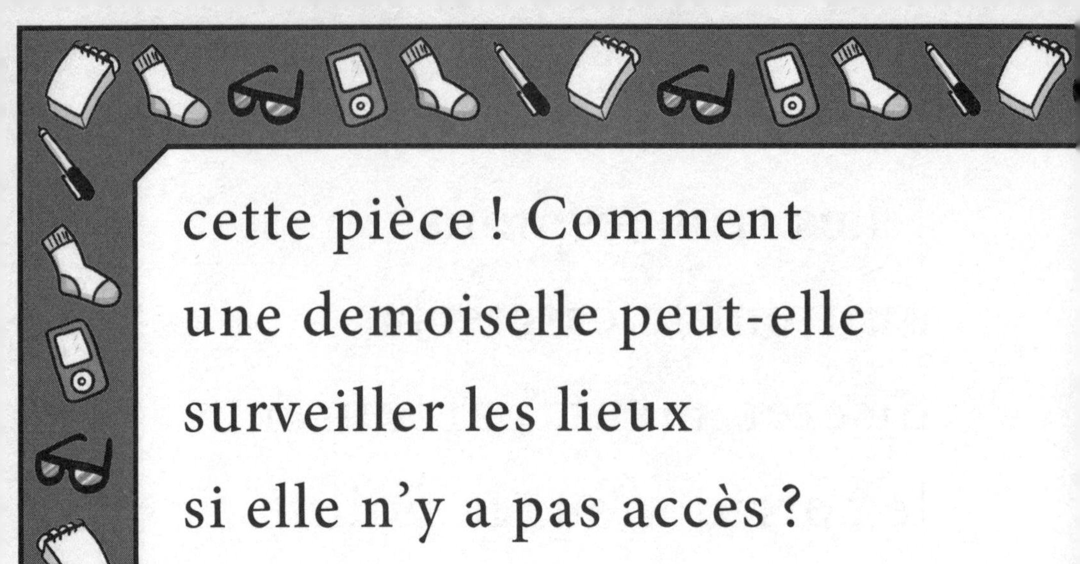

cette pièce ! Comment
une demoiselle peut-elle
surveiller les lieux
si elle n'y a pas accès ?

Déterminée à trouver
une solution, OMBRE
OBSCURE ouvre une
section de son manteau,
à la recherche d'une idée.
Qu'est-ce qui pourrait
lui être utile parmi
tous ses accessoires ?
Un éventail ?

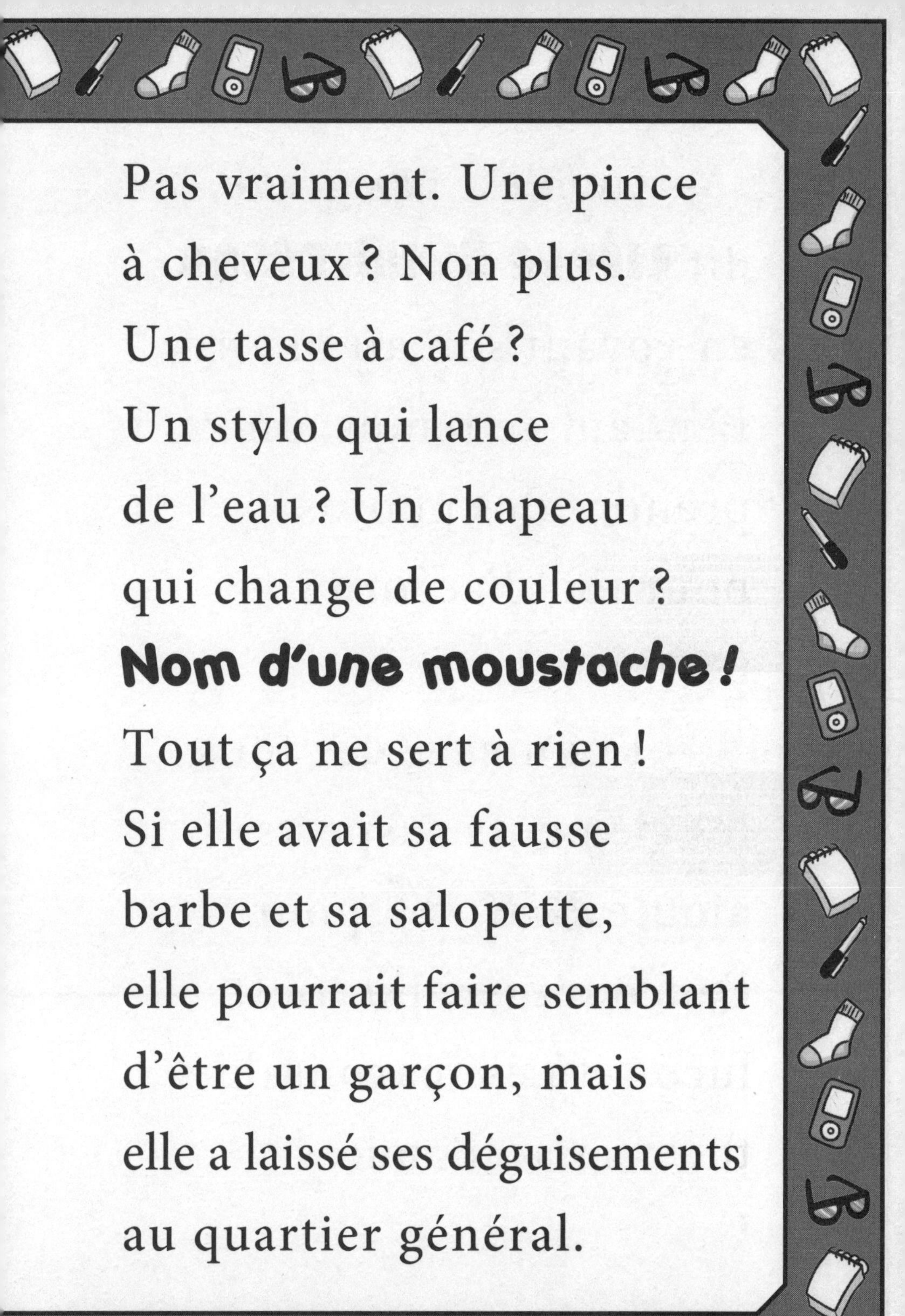

Pas vraiment. Une pince à cheveux ? Non plus. Une tasse à café ? Un stylo qui lance de l'eau ? Un chapeau qui change de couleur ?

**Nom d'une moustache !**

Tout ça ne sert à rien ! Si elle avait sa fausse barbe et sa salopette, elle pourrait faire semblant d'être un garçon, mais elle a laissé ses déguisements au quartier général.

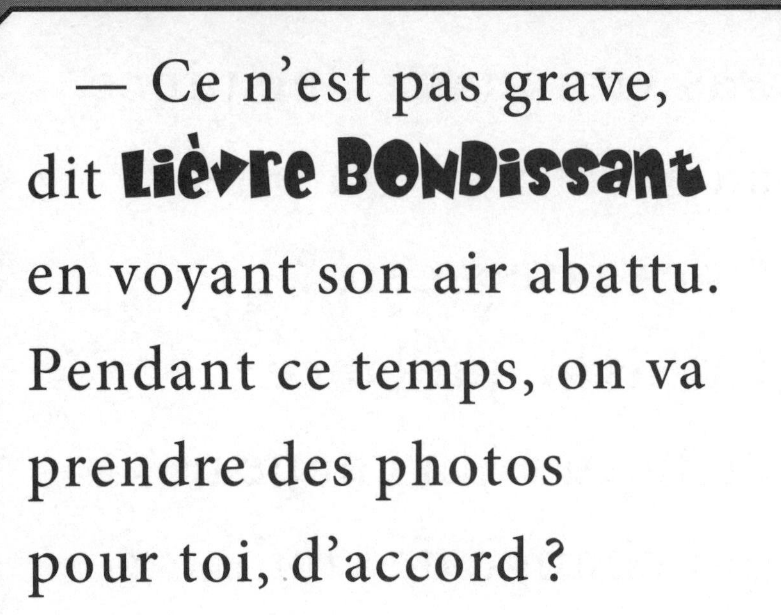

— Ce n'est pas grave, dit Lièvre BONDissant en voyant son air abattu. Pendant ce temps, on va prendre des photos pour toi, d'accord ?

— Et on va noter tous les éléments suspects, ajoute GHOST pour l'encourager. De toute façon, tu es responsable de la surveillance,

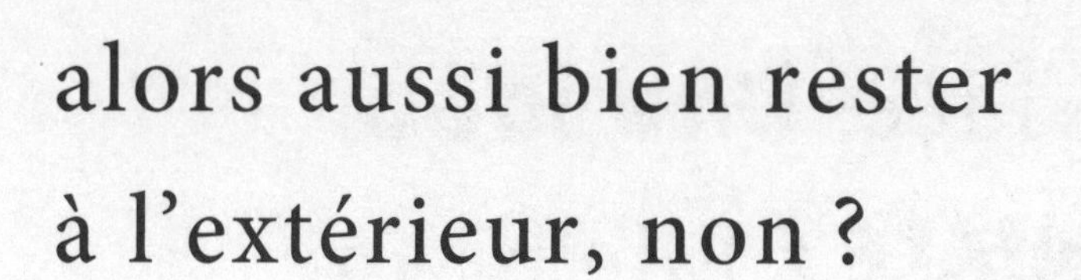

alors aussi bien rester à l'extérieur, non ?

— Oui, vous avez sûrement raison, répond OMBRE OBSCURE, déçue. Allez-y, je vous attends ici.

En regardant ses amis disparaître dans le vestiaire, la jeune espionne a toutefois

une idée. **Une idée GÉNIALE !** Elle pivote sur elle-même, fouille à l'intérieur de son manteau, s'empare de quelques accessoires et commence sa super transformation. Une fois son opération terminée, elle inspecte son reflet dans une fenêtre et lève le pouce de satisfaction.

C'est parfait !
Elle peut y aller !

# Tout un sens de l'observation !

Dès qu'OMBRE OBSCURE pose un pied à l'intérieur du vestiaire, des cris se font entendre. C'est la panique générale.

Les réactions sont instantanées : un élève s'accroupit derrière une poubelle, quelques autres se cachent dans des casiers en faisant un vacarme considérable et un grand

gaillard se glisse sous
un banc. Au beau milieu
de la pièce, toutefois,
un petit garçon reste
planté là, torse nu,
son t-shirt entre
les doigts. Il observe
OMBRE OBSCURE d'un air
inquiet, la bouche grande
ouverte. En face de lui,
la jeune espionne ne
bronche pas d'un poil.
Elle fixe son regard au
loin, les yeux cachés

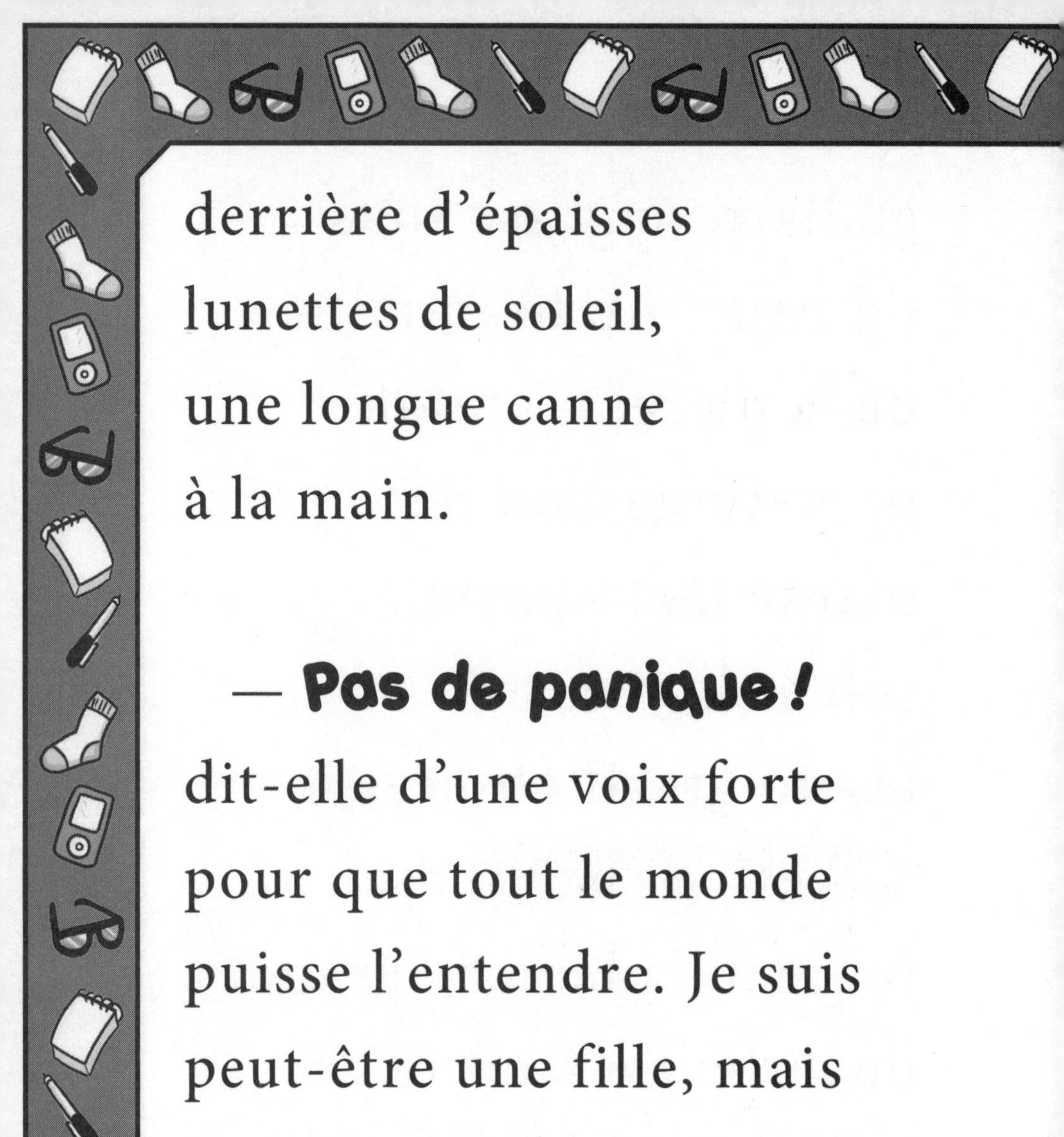

derrière d'épaisses
lunettes de soleil,
une longue canne
à la main.

— **Pas de panique !** dit-elle d'une voix forte pour que tout le monde puisse l'entendre. Je suis peut-être une fille, mais je suis aveugle. Je ne vois **absolument rien !**

Lentement, les élèves sortent de leur cachette un à un, à la fois craintifs et curieux. Quant au petit garçon, il s'approche d'OMBRE OBSCURE pour l'inspecter de la tête aux pieds. Il commence par agiter une main devant ses yeux. Elle demeure immobile. Il exécute une série de grimaces en sautillant comme un babouin.

Elle demeure immobile.
Il se laisse tomber, roule sur lui-même et bondit sur ses pieds en levant les bras d'un geste théâtral. Elle demeure toujours immobile.

— Je crois qu'elle dit la vérité, annonce-t-il enfin. Heureusement, parce qu'elle m'aurait trouvé ridicule.
Et presque **tout nu**...

OMBRE OBSCURE essaie de garder son sérieux, mais elle a juste le goût de rire ! À côté d'elle, GHOST et LIÈVRE BONDISSANT ont l'air de se demander comment tout cela va se terminer.

Soudain, le grand gaillard sort de sa cachette et avance vers l'intruse, les mains sur les hanches.

— Hé ! Je te connais, articule-t-il en levant un doigt accusateur. Tu étais dans ma classe en première année. Tu n'es pas aveugle **du tout !**

VOYONS!

se raidit. Elle entend la respiration de ses coéquipiers s'accélérer à côté d'elle. **Vite, une idée**, sinon elle risque de se faire expulser du vestiaire. Elle ne veut surtout pas compromettre l'efficacité de son enquête.

— Ah, mais c'est nouveau, explique-t-elle

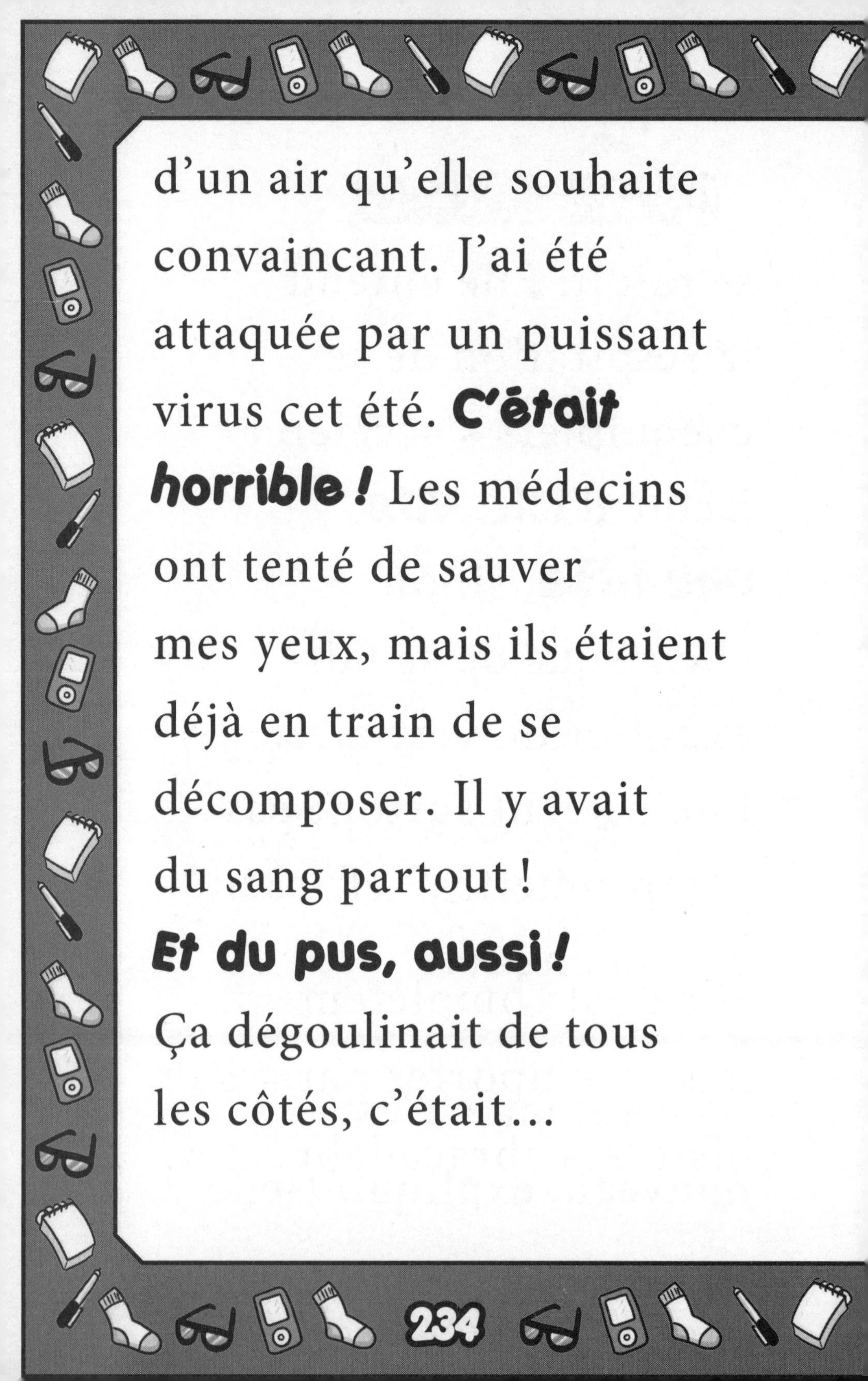

d'un air qu'elle souhaite convaincant. J'ai été attaquée par un puissant virus cet été. **C'était horrible !** Les médecins ont tenté de sauver mes yeux, mais ils étaient déjà en train de se décomposer. Il y avait du sang partout !

***Et du pus, aussi !***

Ça dégoulinait de tous les côtés, c'était...

La jeune fille reçoit un puissant coup de coude dans les côtes.

GHOST a bien fait de la ramener à l'ordre, elle s'est complètement laissée emporter par ses histoires abracadabrantes.

Partout autour, les élèves affichent un air dégoûté ; le costaud se sauve même du vestiaire en criant à pleins poumons.

**AU SECOUUURS !**

Mais un autre problème se pointe à l'horizon... Un problème qui a quatre pattes, qui est très poilu et qui en a profité pour se faufiler dans l'ouverture

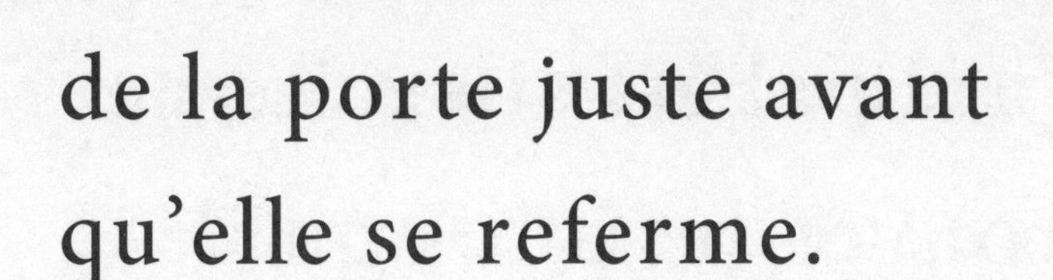

de la porte juste avant qu'elle se referme.

## OUAF OUAF !

— Bouboule ? s'écrie **Lièvre Bondissant**, étonné de voir le petit chien dans son école. Qu'est-ce que tu fais là ?

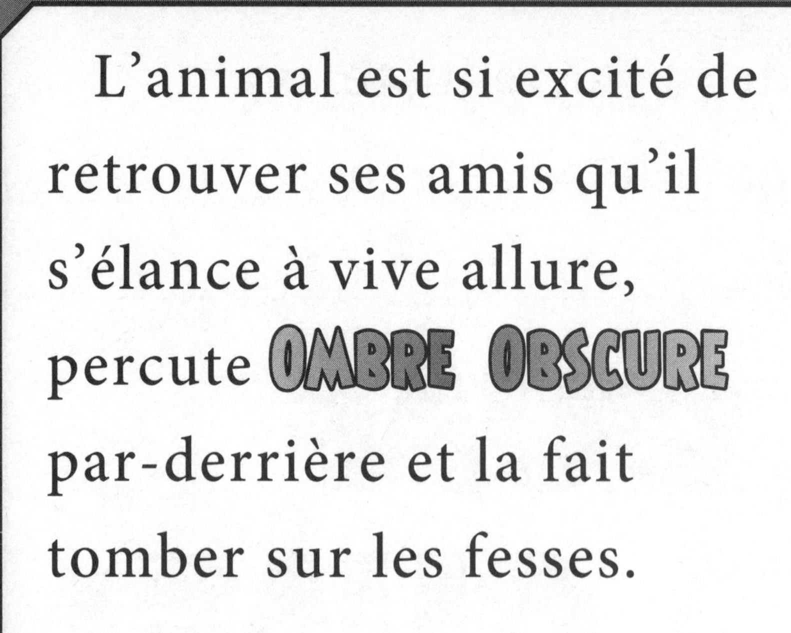

L'animal est si excité de retrouver ses amis qu'il s'élance à vive allure, percute **OMBRE OBSCURE** par-derrière et la fait tomber sur les fesses.

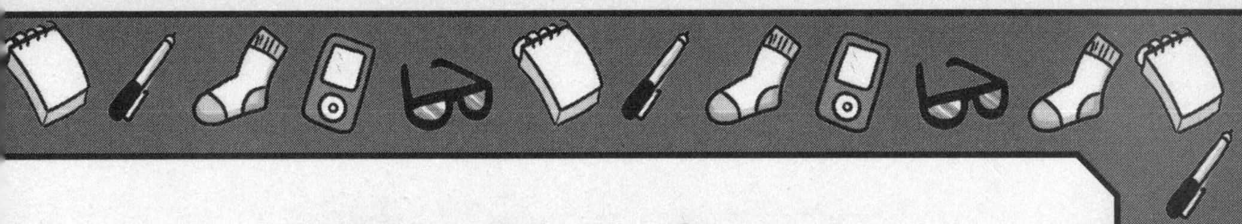

— **Oh ! Bouchon !**
Je suis tellement contente de te voir, mon toutou ! Viens dans mes bras !

Heureux de l'accueil que lui réserve la jeune fille, Bouboule se précipite pour lui lécher les oreilles et mordiller ses lunettes. Pendant ce temps, GHOST s'assoit sur un banc, le visage blême. Il faut dire qu'il déteste

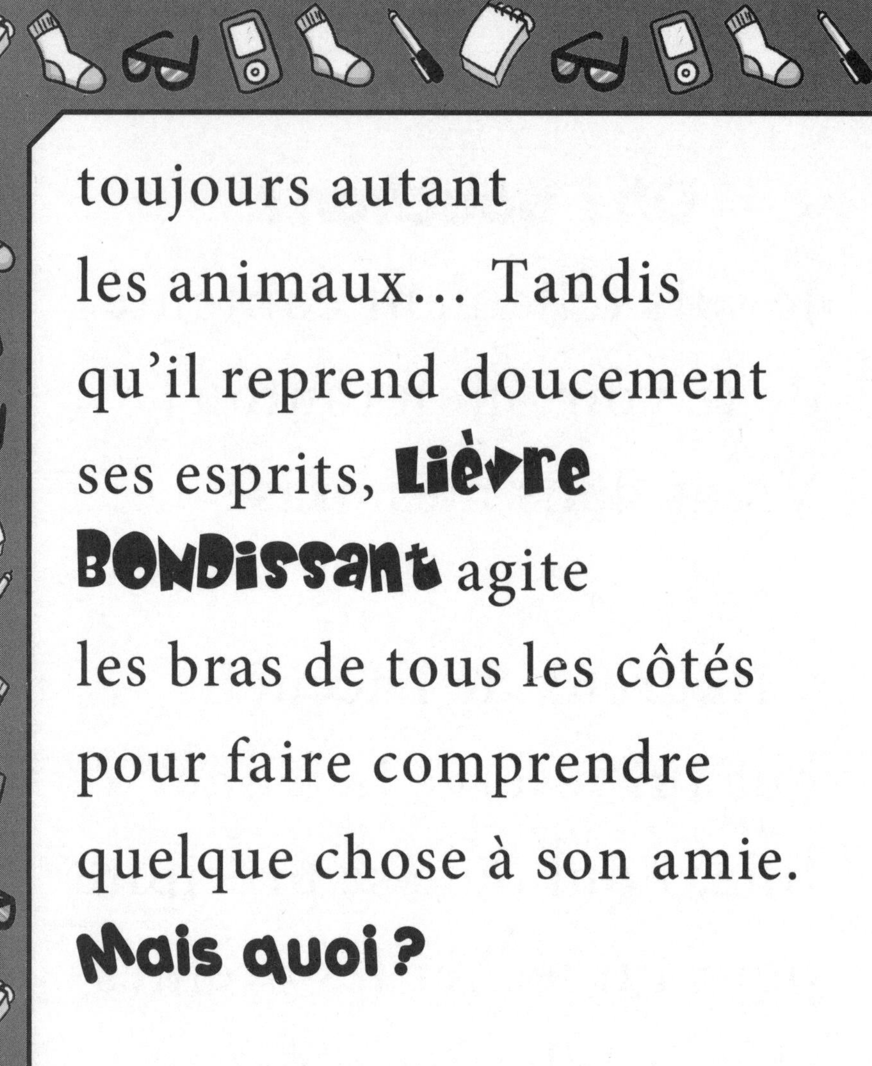

toujours autant
les animaux... Tandis
qu'il reprend doucement
ses esprits, **Lièvre**
**BONDISSANT** agite
les bras de tous les côtés
pour faire comprendre
quelque chose à son amie.
**Mais quoi ?**

— Qu'est-ce que
tu essaies de me dire ?
demande **OMBRE OBSCURE**
en enfouissant son nez

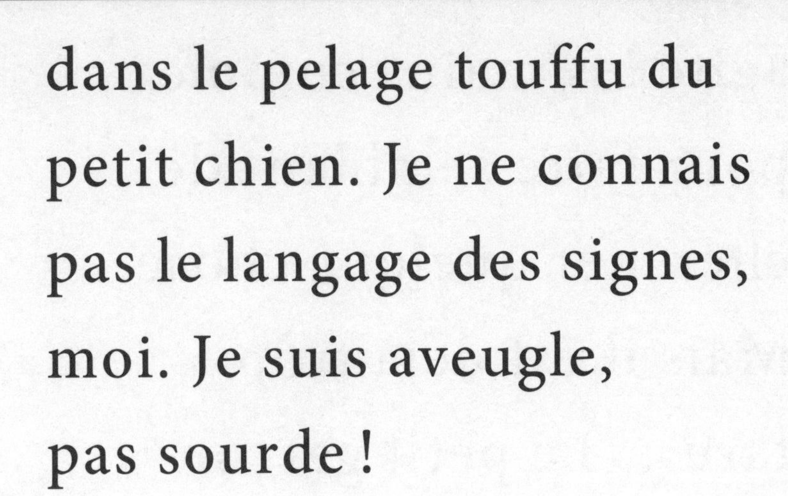

dans le pelage touffu du petit chien. Je ne connais pas le langage des signes, moi. Je suis aveugle, pas sourde !

**Oh ! Aveugle !**

Mais oui, voilà ce que son coéquipier tente de lui expliquer ! Elle doit continuer à jouer son rôle de personne non voyante ! Elle replace ses lunettes d'un mouvement vif et

agite les mains comme pour faire semblant de chercher quelque chose. Mais il est déjà trop tard… Le petit garçon a tout compris.

— Tu nous as raconté n'importe quoi, **hein ?** gémit-il en enfilant son chandail à toute vitesse. Tu faisais juste semblant ? Sors du vestiaire !

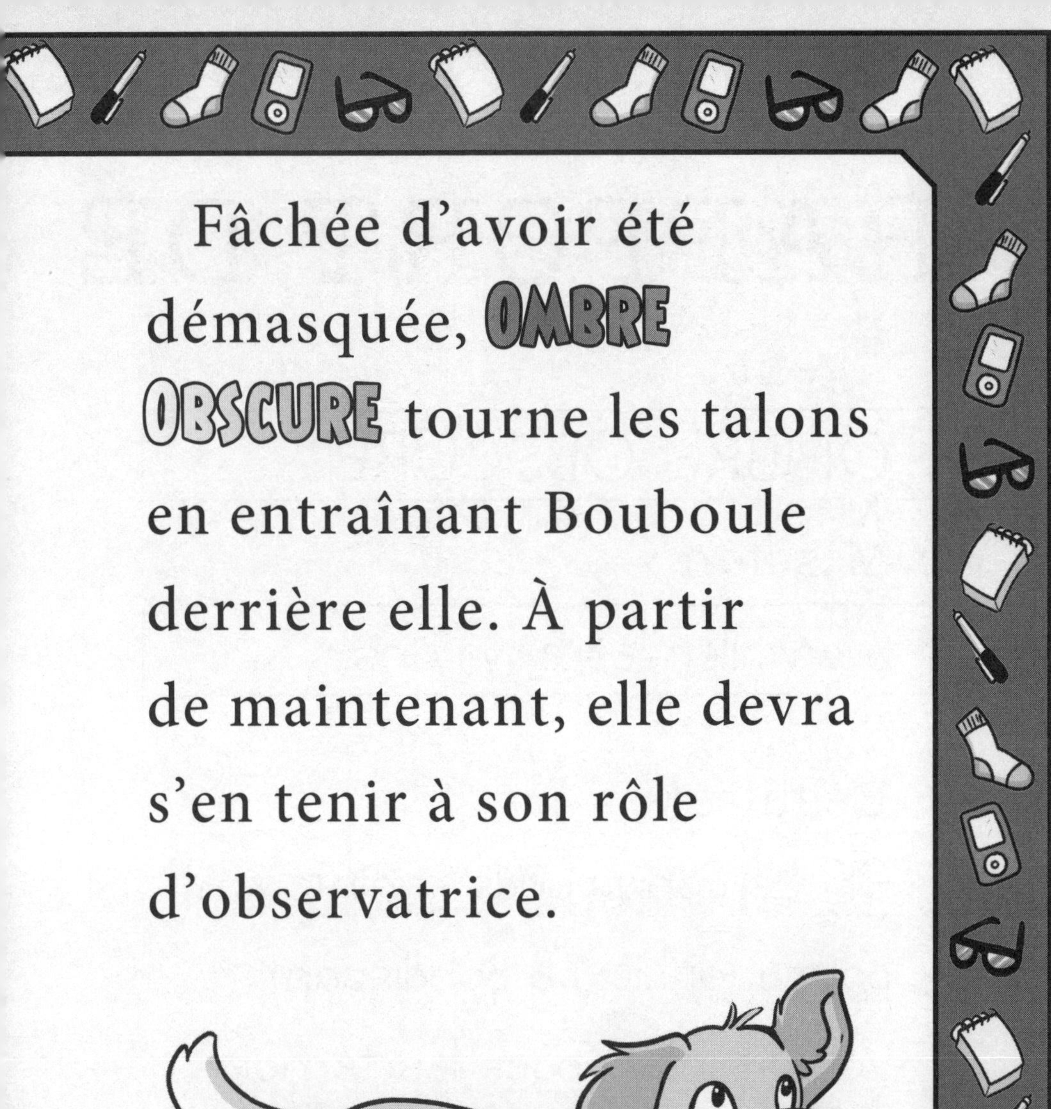

Fâchée d'avoir été démasquée, OMBRE OBSCURE tourne les talons en entraînant Bouboule derrière elle. À partir de maintenant, elle devra s'en tenir à son rôle d'observatrice.

# RAPPORT DE

**Agent :**

OMBRE OBSCURE

**Mission :**

Surveiller les environs.

**Résultat :**

OK. Je comprends maintenant pourquoi Lièvre Bondissant voulait interroger les témoins. C'est super ennuyeux, faire le guet! Heureusement que la cloche a sonné, sinon je crois que je me serais endormie à mon poste d'observation.

# MISSION Nº 2

Voici ce que j'ai noté :

Onze personnes sont entrées dans les vestiaires et en sont ressorties, quinze filles ont joué au basketball dans le gymnase, un enseignant a trébuché sur un déchet et un adorable petit chien trop, trop roux-chouchou s'est amusé avec moi quelques minutes, jusqu'à ce qu'il décide d'aller se promener.

Conclusion de ma mission de surveillance : RIEN ! AUCUNE PISTE ! AUCUN SUSPECT !

# RAPPORT DE

Agent :

GHOST

Mission :

Relever des empreintes.

Résultat :

Il s'est assurément passé quelque chose ici. Le coupable a laissé plusieurs traces derrière lui lors du vol. J'ai noté la présence d'un étrange liquide visqueux à deux endroits : une petite

# MISSION N° 2

flaque au sol et
quelques gouttes près
du banc. J'ai récolté
un échantillon afin
de l'analyser en
laboratoire. Différentes
fibres ont également
été recueillies.
Mon inspection approfondie
m'a permis de remarquer
que le vestiaire était
anormalement désordonné,
comme si quelqu'un s'était
amusé à tout retourner

Suite du

# RAPPORT DE

sur son passage. Je dirais donc que le suspect est un homme qui a entre six et soixante ans, qu'il fréquente cette école en tant qu'élève ou employé et qu'il a désespérément besoin de chaussettes.

# MISSION N° 2

Oui, je sais,
c'est assez vague
comme description...

# RAPPORT DE

Agent :

LIÈVRE BONDISSANT

Mission :

Interroger les témoins.

Résultat :

Comment est-ce possible ?

Une chaussette disparaît, et

personne n'a rien remarqué ?

« J'étais en classe. »

« J'étais dans le bureau

du directeur. »

« J'étais à l'infirmerie. »

Pfft ! Des excuses !

# MISSION N° 2

Les jeunes de cette école font tout pour nuire à mon enquête ! C'est un complot ! Une conspiration ! Oui, bon, j'exagère un peu... Peut-être que le vestiaire était désert au moment du crime, aussi. N'empêche qu'on n'est pas plus avancés pour l'instant. Si j'avais à suspecter quelqu'un, j'opterais pour le concierge. Il occupe un poste parfait pour intervenir sans se faire remarquer.

# Chapitre 9

# Espions découragés à la recherche d'une nouvelle stratégie

En ce beau
samedi matin,
les trois enquêteurs de
SPY-BOND-007
sont plus découragés
que jamais. L'école
a repris depuis plus
d'une semaine, et
ils n'ont toujours
aucune idée de l'identité
du fameux voleur
de chaussettes.

Bien installée dans un coin du quartier général, Scarlett relit son livre préféré une fois de plus en espérant y dénicher quelques trucs d'espionnage. De leur côté, les deux garçons tentent d'élucider le mystère à leur façon. Spy passe en revue les différents indices, tandis que Jimmy écoute en boucle les entrevues avec les témoins.

— Peux-tu enlever tes écouteurs, s’il te plaît ? demande Spy en agitant une main devant le visage de son collègue pour attirer son attention. J’aimerais bien entendre, moi aussi.

— Je te donnerai le iPod **quand j'aurai terminé**, répond Jimmy, concentré. Et toi, peux-tu partager tes découvertes avec nous, s'il te plaît ? J'aimerais bien connaître le résultat de tes recherches.

— Je te donnerai les échantillons **quand j'aurai terminé**.

Scarlett relève la tête vers ses amis, lassée. Sous leur air poli et bien élevé se cache une rivalité qui grandit de jour en jour. La jeune fille regrette d'avoir proposé son défi aux garçons. Ils devraient travailler ensemble

au lieu de garder leurs découvertes pour eux. **C'est vraiment mauvais pour les affaires !**

— Que diriez-vous d'établir une liste de suspects ? propose-t-elle en déposant son livre.

— Encore ? s'exclame Jimmy en soupirant. On dresse des listes **TOUS LES JOURS** depuis le début de l'enquête.

En effet, les espions se sont prêtés à cet exercice à plusieurs reprises, et leur résultat demeure le même.

# LISTE DES INDIVIDUS À SURVEILLER :

## OPÉRATION SUPER PHÉNIX COBRA NOIR

1- Madame Fouine, la voisine de monsieur Pomme d'Api.

2- Le concierge de l'école.

3- Tout homme ayant entre six et soixante ans qui fréquente l'établissement scolaire et qui a désespérément besoin de chaussettes.

— **On tourne en rond !** ronchonne Spy, de plus en plus démotivé.

En effet, tout va de travers, songe Scarlett. Ça paraît pourtant si simple dans les films et dans les livres ! Les vrais espions font des miracles avec leur matériel à la fine pointe de la technologie, alors que l'agence

doit se contenter de quelques articles désuets : des jumelles, un vieux microscope à l'objectif cassé et des accessoires de camouflage un peu trop voyants.

Scarlett a tenté d'analyser la substance récoltée dans le vestiaire des garçons, sans succès. Elle a cherché à découvrir la provenance des fibres, toujours sans succès.
**Nom d'une moustache !**
Comment obtenir des résultats quand on n'y connaît **rien** en science, notamment en chimie ?

— OK, récapitulons, marmonne-t-elle en se frottant les paupières avec le pouce et l'index. Qu'est-ce qu'on a fait jusqu'à présent pour aider l'enquête à avancer ?

— On a lancé un avis de recherche sur les réseaux sociaux, indique Spy en relevant les sourcils. En réponse, on a reçu des tas et des tas de chaussettes, mais aucune ne correspond à notre description. On a perdu énormément de temps à les inspecter une par une.

— Normal... Tous les bas finissent par se ressembler, mentionne Jimmy.

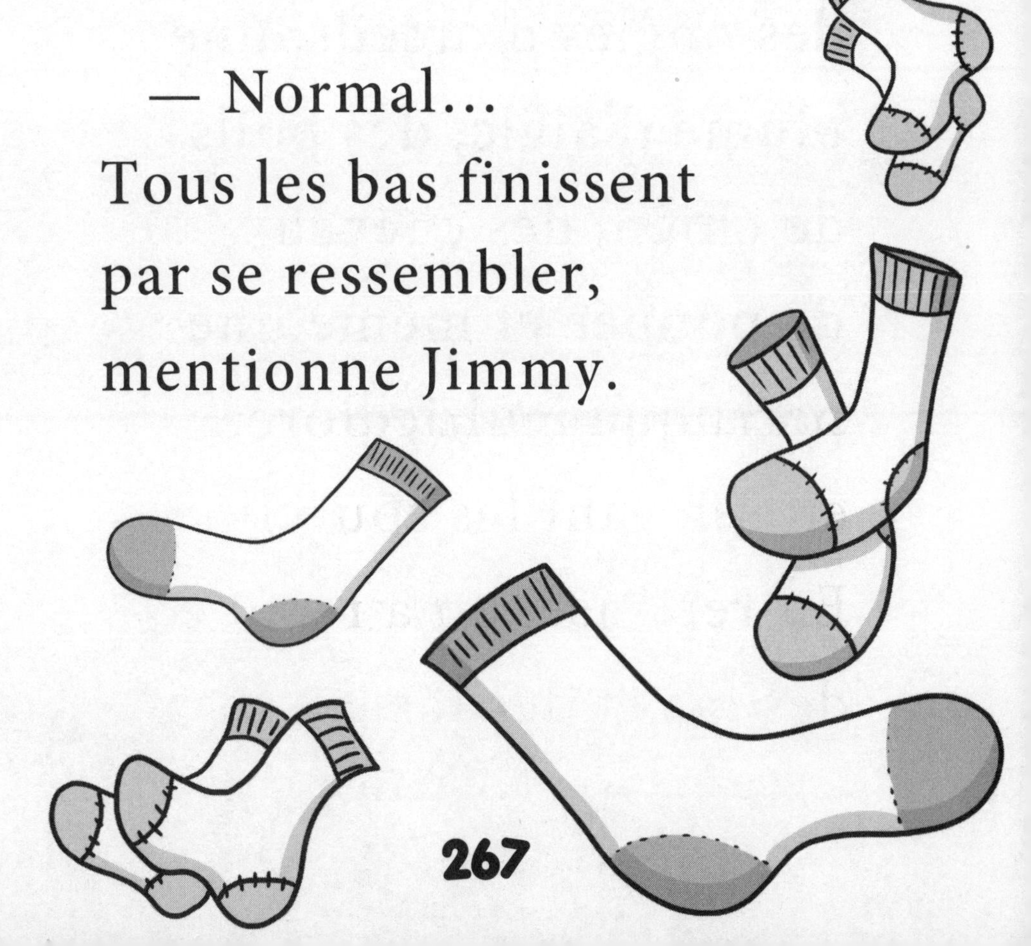

— Je suis d'accord. Quoi d'autre ? insiste Scarlett.

— On a fouillé l'école de fond en comble, indique Spy. On a trouvé des ongles d'orteils, une plume d'aigle, des poils de chien, des cheveux de poupée et même une perruque multicolore.

— Mais pas la chaussette de Léo ni celle de monsieur Pomme d'Api, complète Jimmy.

— Qu'est-ce qu'on a loupé ? demande la jeune fille en posant les coudes sur la table. Que ferait **TOP AGENT** dans pareille situation ?

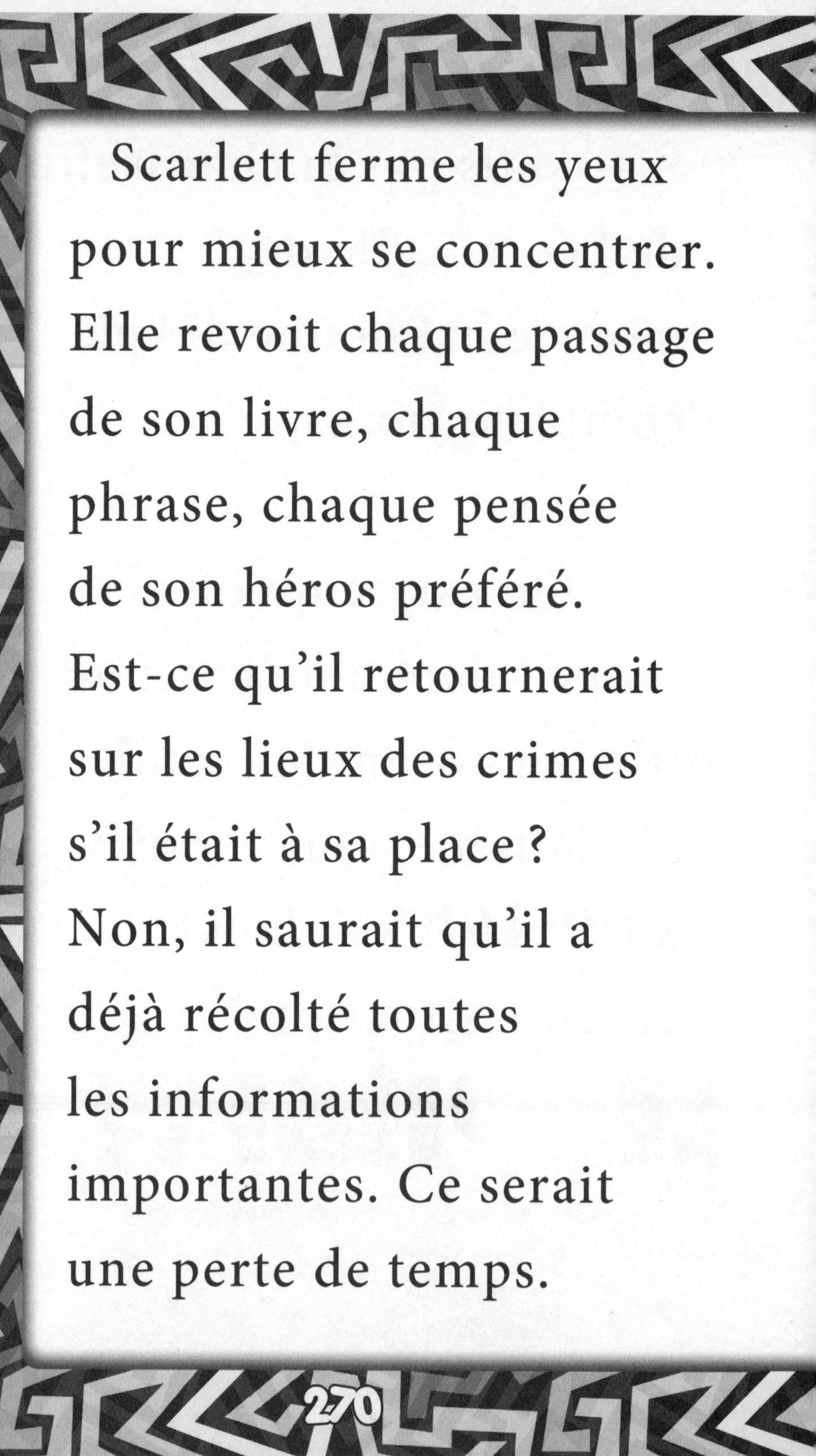

Scarlett ferme les yeux pour mieux se concentrer. Elle revoit chaque passage de son livre, chaque phrase, chaque pensée de son héros préféré. Est-ce qu'il retournerait sur les lieux des crimes s'il était à sa place ? Non, il saurait qu'il a déjà récolté toutes les informations importantes. Ce serait une perte de temps.

Est-ce qu'il interrogerait à nouveau tous les témoins ? Encore moins… **TOP AGENT** est plus audacieux, plus téméraire. Il préfère miser sur des stratégies originales et ambitieuses. Et il y a une chose qu'il aime par-dessus tout :

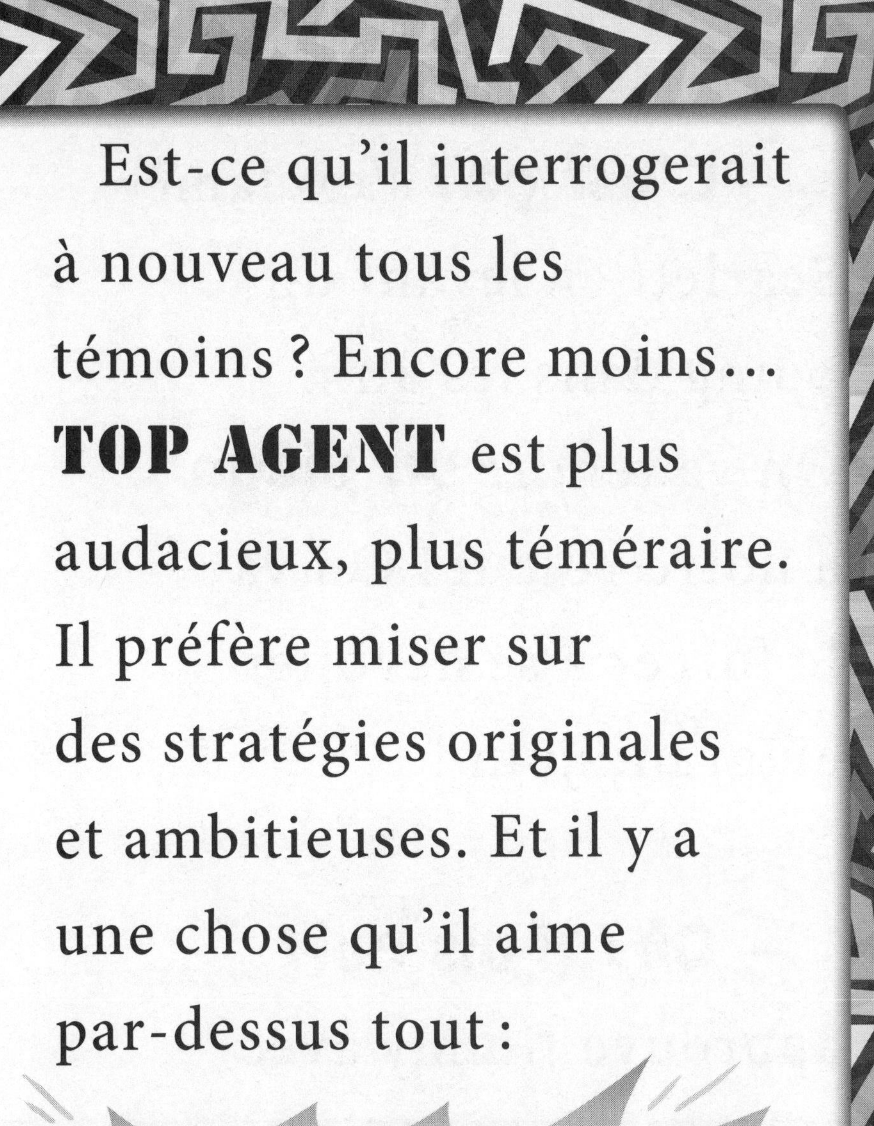

**LES PIÈGES !**

— **C'est ça !** s'exclame Scarlett en levant un poing dans les airs. On va tendre **un piège** à notre voleur ! On va le forcer à se dévoiler au grand jour !

— **Oh ! Mais oui !** approuve Jimmy avec enthousiasme. C'est une excellente suggestion !

— Vraiment ! ajoute Spy, le visage radieux. Même qu'on aurait dû y penser avant ! As-tu un plan ?

Scarlett fait non de la tête, consulte sa montre et ajoute :

— Il est déjà midi. Je propose qu'on rentre dîner et qu'on se retrouve ici juste après avoir mangé.

— **Parfait !** Je meurs de faim ! déclare Jimmy, toujours affamé. **Allez, Bouboule !** Viens, mon toutou !

Le garçon incite son chien à le suivre et disparaît en saluant ses amis. Quand il est question de se nourrir, Jimmy est toujours pressé !

Scarlett le regarde s'éloigner en souriant. Elle est contente que Jimmy ait un animal de compagnie. Elle aurait bien aimé garder la bête

poilue pour elle, mais ses parents sont catégoriques à ce sujet : **« Aucune bestiole dans la maison ! Ça pue, ça perd ses poils et ça mordille tout sur son passage ! »** Elle a eu beau leur expliquer que Bouboule est très gentil et qu'il a l'habitude d'errer dans les rues de la ville pendant la nuit, ils n'ont rien voulu entendre.

Quant à Spy, il est évident qu'il ne veut pas d'un autre chien chez lui. Il en a déjà plein les bras avec le chiot que ses parents ont récemment offert à ses frères. Des plans pour que le garçon reste **CACHÉ** sous son lit jusqu'à la fin de ses jours !

Oh… **CACHÉ**… Ce mot lui donne une idée !

Scarlett dit au revoir à Spy, ferme la porte du quartier général et rentre rapidement chez elle pour mettre tout cela sur papier.

# Chapitre 10

# Le meilleur plan de tous les temps

Êtes-vous là,
les gars ?

Fidèle
au poste !

Et toi, Jimmy ?

Allô ?

Réponds !

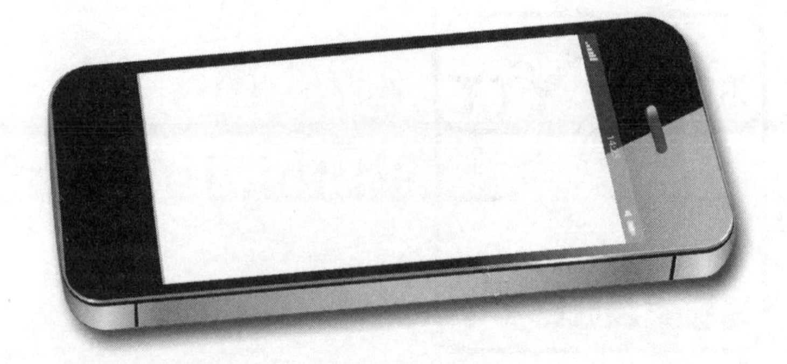

Hum… Jimmy devrait déjà être rentré. Sa maison est beaucoup plus près du QG que la mienne.

Il est peut-être allé se promener avec Bouillie.

Son chien s’appelle Bouboule !

Ah, oui, c’est vrai. En tout cas, il serait temps qu’il arrive. J’ai eu une idée fantastique et j’ai trop hâte de vous en parler !

Me voilà !

Enfin !
Qu'est-ce que
tu faisais ?

Si tu savais !
C'est terrible !
On a été
cambriolés !

Quoi ?
Vraiment ?

Oui ! Et vous
ne devinerez
jamais ce que
le voleur a pris :
des chaussettes !
Toutes sales, en plus !

Oh ! C’est
du sérieux !
On arrive !

Scarlett et Spy quittent leur maison respective et se dépêchent de rejoindre Jimmy chez lui. Le garçon est dans tous ses états !

— Je ne comprends pas, explique-t-il en se passant une main sur le visage. Tout est allé **si vite !**

— Viens t'asseoir dans le salon, propose Scarlett d'une voix calme. D'accord ?

— Oui, je veux bien…

Jimmy s'installe sur
le canapé pendant que Spy
inspecte les lieux.

— Raconte-moi tout
depuis le début, veux-tu ?
demande Scarlett
en sortant un calepin
et un crayon.

— Quand je suis entré dans la maison, il y avait une note de mes parents sur la table de la cuisine, commence le garçon, la gorge nouée.

— Est-ce que je peux voir ce message ? demande Scarlett en tendant la main.

Jimmy hésite un moment et lui donne enfin le bout de papier chiffonné.

Allô mon p'tit cœur
en sucre adoré,

Nous sommes partis
au marché. Il y a un
restant de pâtes au
frigo. Madame Héroux
est chez elle, tu peux
l'appeler s'il y a quoi
que ce soit.

Gros bisous, bisous !

Maman et papa.
XXX

— Je ne savais pas que tes parents étaient si poétiques, dit Scarlett en pouffant de rire. Qui est madame Héroux ?

— C'est ma voisine, explique Jimmy. Tu la connais, elle nous offre souvent des biscuits quand on joue dans la rue.

— **Ah oui ?** Ça ne me dit rien, pourtant, marmonne la jeune fille en écrivant dans son calepin. Je vais ajouter son nom sur la liste des suspects. As-tu remarqué quelque chose d'inhabituel quand tu es entré ?

— Non, pas du tout.
C'est ça qui est **étrange !**
J'ai mis mon repas
à chauffer et je suis allé
à la salle de bain. Quand
j'en suis ressorti, j'ai vu
qu'on avait fouillé dans
le panier de linge sale,
dans le corridor.
Et la porte d'entrée
était **ouverte**.

— **Hum...** intéressant... Je crois qu'on va devoir mettre la maison sous scellés le temps qu'on termine notre enquête, annonce Scarlett en sortant un long ruban jaune d'une poche de son manteau.

— **Sous scellés ?**
lâche Jimmy, les yeux écarquillés. Tu vas m'empêcher de rester chez moi pendant les recherches ? Qu'est-ce que mes parents vont dire quand ils vont revenir ? Tu ne peux pas faire ça, **voyons !**

— Pourquoi pas ? C'est toujours ce qu'ils font dans les films.

— On n'est pas au cinéma, **franchement**, intervient Spy, qui est revenu dans le salon pour participer à l'interrogatoire.

Pourquoi ne pas tendre
un piège à notre voleur,
tant qu'à y être ?

**Ah, mais oui !**
**Justement !** Voilà
de quoi Scarlett voulait
leur parler avant
le cambriolage.
C'est la **seule façon**
de coincer ce
**méchant bandit !**

— Vous savez,
dit-elle avec conviction,
**TOP AGENT** est
le meilleur espion au
monde ! Au fil du temps,
il a mis au point plusieurs
méthodes d'enquête et
d'espionnage, mais
sa préférée demeure
« **la trappe** ».

Et là, Scarlett leur
résume tout ce qu'elle a
mis sur papier.

LES ÉTAPES DE LA TECHNIQUE DE LA TRAPPE :

1- Tendre un piège à son adversaire (l'attirer à l'aide d'un élément qui lui donnera le goût de s'approcher).

2- Installer un dispositif d'observation (caméra, longue-vue, appareil photo).

3- Se cacher (vêtements de camouflage, déguisements).

4- Attendre (bouteille d'eau et provisions).

5- Espérer que le plan fonctionne (croiser les doigts très fort).

— Cette stratégie est la plus simple, conclut Scarlett. C'est aussi celle qui offre les **meilleures** chances de survie.

— Les meilleures chances **de survie ?** répète Jimmy, soudainement un peu blême. Tu crois qu'on pourrait y laisser **notre peau ?**

— Tout est possible dans ce métier, affirme la jeune fille d'un air sérieux. Mais je pense qu'on peut s'en sortir si on prend le temps de bien se préparer. OK. Par quoi on commence ?

Scarlett est excitée, mais ses coéquipiers sont loin de faire preuve du même enthousiasme. Spy la regarde avec de grands yeux, les lèvres tremblotantes, tandis que Jimmy croise les bras, comme pour se donner du courage.

— **Je plaisantais, les gars !** On cherche un voleur de chaussettes, pas un tueur en série !

**ALLEZ ! AU TRAVAIL !**

Spy et Jimmy ne sont pas tout à fait rassurés. Les choses risquent de mal tourner s'ils décident d'affronter le voleur. Ils pourraient être découverts, kidnappés et même **torturés !**

— Est-ce que ça vaut vraiment la peine de se mettre en danger pour des bouts de tissu ? demande Spy d'une voix nerveuse.

— C'est vrai, ajoute Jimmy en hochant la tête. Nos clients pourraient se trouver d'autres chaussettes au magasin, **non ?** J'en ai vu des super belles l'autre jour, avec des dessins de hamburgers et de frites. J'ai même failli m'en acheter.

— Je ne veux plus jamais entendre des choses pareilles ! s'écrie Scarlett, furieuse.

— **Quoi ?** Que j'ai eu envie de m'acheter des chaussettes ? dit Jimmy en haussant les épaules. C'est pourtant **la vérité.**

— **Arrête !** Tu sais très bien ce que je veux dire ! Nos clients comptent sur nous. Il est hors de question qu'on les laisse tomber !

— Ben, si c'est pour éviter de mourir…

— Personne ne va mourir, **d'accord ?** Je plaisantais tout à l'heure. Notre plan va tellement bien fonctionner qu'on va capturer le voleur, lui faire avouer son crime et le livrer aux policiers. On sera des héros !

**Toute la ville va nous acclamer !**

— **Tu crois ?** demande Spy en plissant le nez. Pour des chaussettes ?

— **Certainement !** Toutes les enquêtes méritent d'être menées à terme, déclare Scarlett d'un ton solennel. Rappelez-vous bien cela.

Spy et Jimmy hochent la tête d'un même mouvement.

Les trois coéquipiers retournent au quartier général et travaillent sans relâche tout le reste de la journée. Au bout de quelques heures, ils peuvent se vanter d'avoir mis sur pied **un plan incroyable.**

— **C'est bon !** Je pense qu'on est prêts ! annonce enfin Scarlett. On se donne rendez-vous demain matin à la première heure, c'est d'accord ?

— **C'est d'accord !** approuvent les deux garçons.

Les espions de
SPY-BOND-007
rentrent chacun chez
eux pour faire le plein
d'énergie avant une
journée chargée de défis.

# Chapitre 11

## Le piège infernal

# PLAN DE MISSION N° 3

OPÉRATION SUPER PHÉNIX COBRA NOIR

- Lieu choisi pour installer la trappe : près de la bibliothèque municipale

- Lieu d'observation : à travers les branches du grand sapin

⇨ Responsabilités de chacun :

GHOST : (Scarlett 007)

Mettre le piège en place.

OMBRE OBSCURE : (Spy)

Installer un dispositif d'enregistrement qui permettra de capter des images du voleur.

LIÈVRE BONDISSANT : (Jimmy Bond)

Assurer l'approvisionnement alimentaire des troupes.

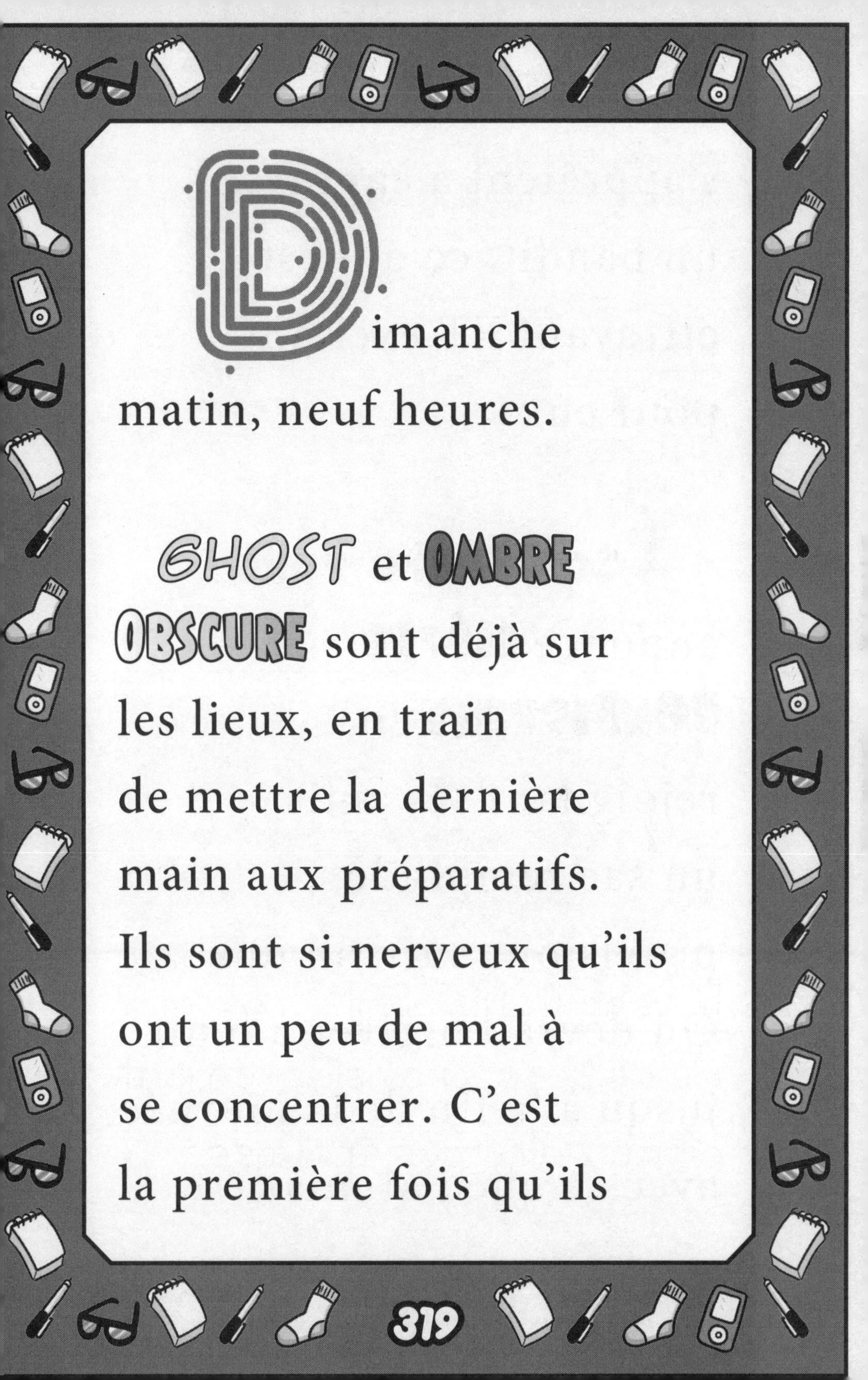

Dimanche matin, neuf heures.

GHOST et OMBRE OBSCURE sont déjà sur les lieux, en train de mettre la dernière main aux préparatifs. Ils sont si nerveux qu'ils ont un peu de mal à se concentrer. C'est la première fois qu'ils s'apprêtent à capturer un bandit, ce qui est effrayant ET excitant pour eux !

— **Salut ! Me voilà !** annonce **Lièvre BONDISSANT** en rejoignant ses amis, un sac rempli de provisions sur son dos. On devrait arriver à tenir jusqu'à la fin de la journée avec ce que j'ai mis là-dedans. Il y a du ragoût, du pain de viande, des escargots à l'ail, de la salade de pâtes, des muffins au fromage et des petites bouchées aux épinards. Elles sont délicieuses. Aimerais-tu y goûter, Scarlett ?

— Pas maintenant, répond OMBRE OBSCURE en plissant le nez. Je viens de manger,

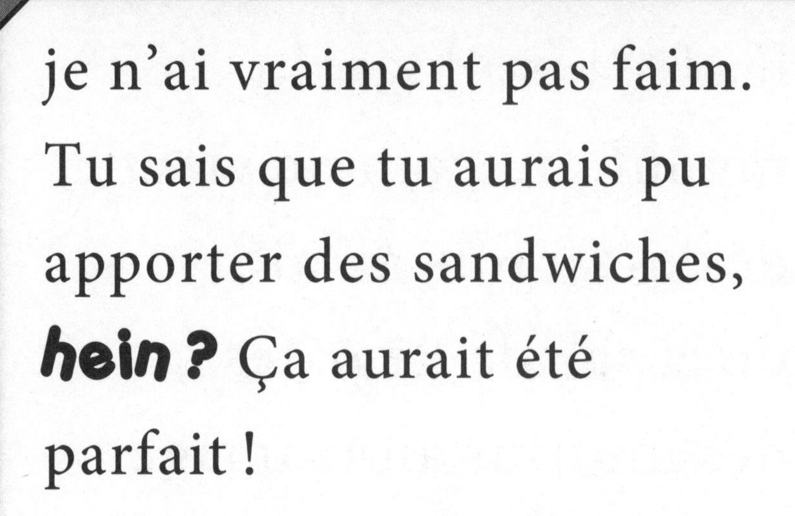

je n'ai vraiment pas faim. Tu sais que tu aurais pu apporter des sandwiches, **hein ?** Ça aurait été parfait !

— Tu veux dire **JUSTE** des sandwiches ? réplique le garçon avec horreur. Comment on ferait pour tenir toute la journée ?

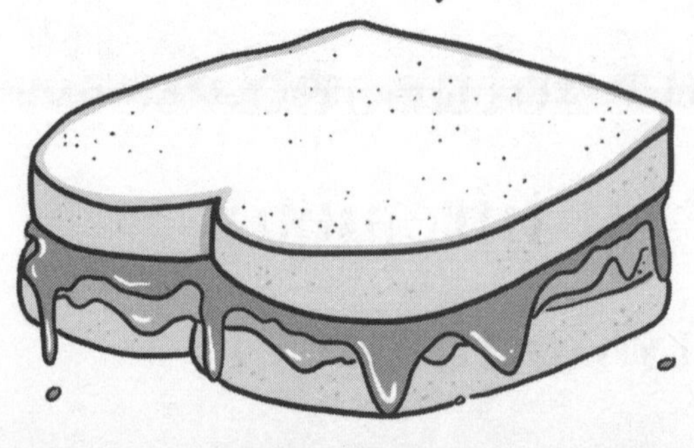

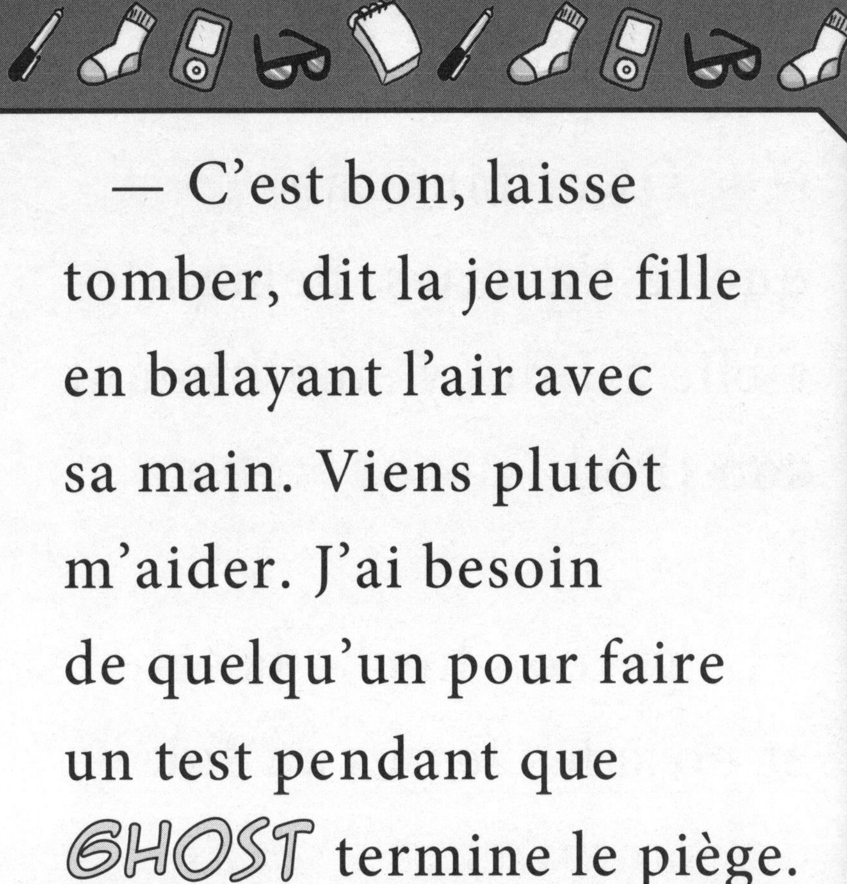

— C’est bon, laisse tomber, dit la jeune fille en balayant l’air avec sa main. Viens plutôt m’aider. J’ai besoin de quelqu’un pour faire un test pendant que GHOST termine le piège.

L’espionne entraîne son ami près du stationnement de la bibliothèque et fouille à l’intérieur de son manteau.

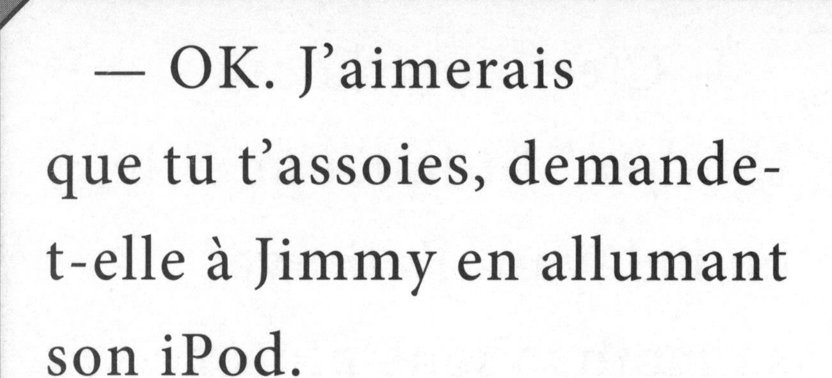

— OK. J'aimerais que tu t'assoies, demande-t-elle à Jimmy en allumant son iPod.

Le garçon hoche la tête et pose les fesses au sol.

— Non, non, pas ici. Va plutôt sur le banc, précise-t-elle en pointant un siège de bois près d'une statue en forme de cheval.

Encore une fois, **Lièvre BONDISSANT** obéit. Il se lève et va s'installer pendant que sa coéquipière jette un œil à l'écran de son iPod.

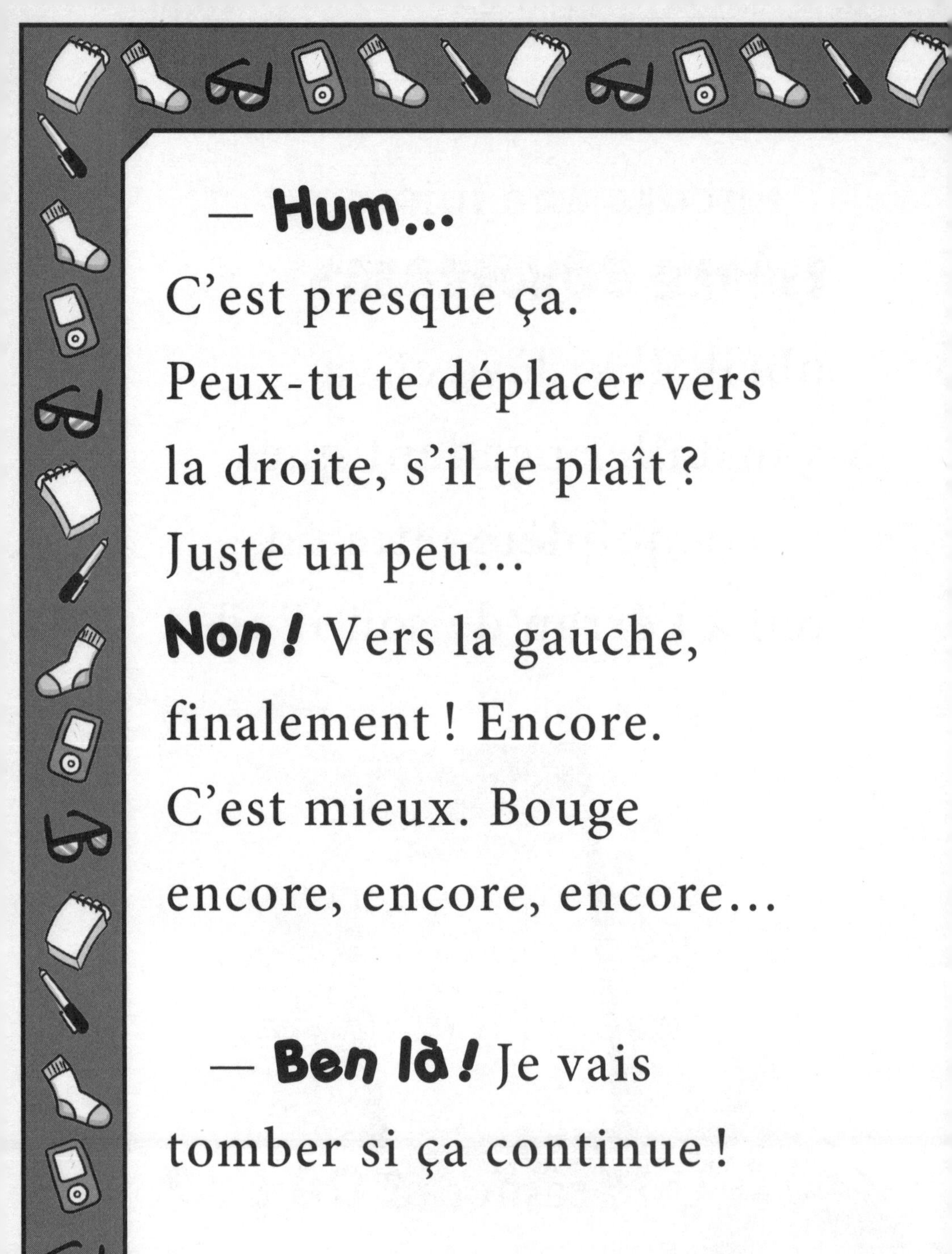

— **Hum...**

C'est presque ça.

Peux-tu te déplacer vers la droite, s'il te plaît ?

Juste un peu...

**Non !** Vers la gauche, finalement ! Encore.

C'est mieux. Bouge encore, encore, encore...

— **Ben là !** Je vais tomber si ça continue !

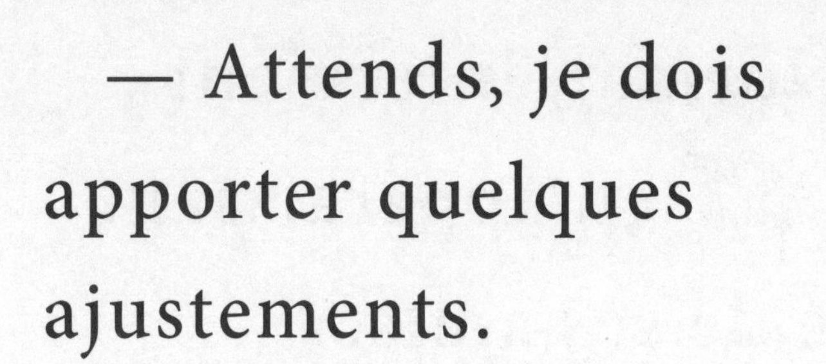

— Attends, je dois apporter quelques ajustements.

— Des ajustements à quoi ? demande le garçon, de plus en plus impatient.

— À ma caméra, **voyons !** Il me semble que c'est évident !

— Une caméra ? **Où ça ?** Je ne vois aucune caméra.

— Normal, intervient GHOST en apparaissant à côté de ses amis. Elle est cachée. À quoi bon espionner les gens s'ils savent qu'on les surveille ?

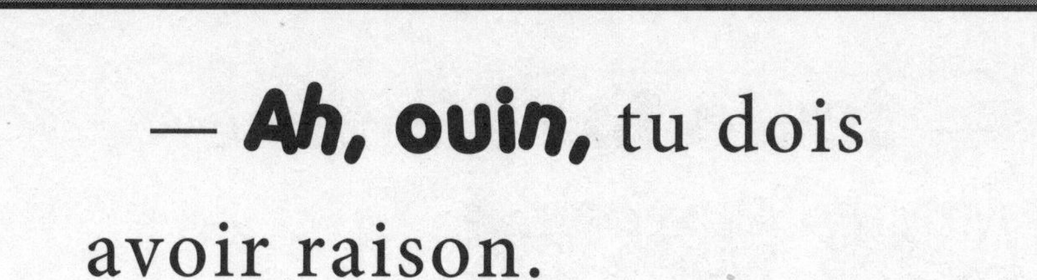

— **Ah, ouin,** tu dois avoir raison.

**Lièvre BONDISSANT** plisse les yeux, scrute les environs et demande, le regard rempli d'espoir :

— Et moi, est-ce que j'ai le droit de savoir où elle est, **cette fameuse caméra ?**

— **Juste là !** annonce OMBRE OBSCURE en pointant la tête du cheval.

Le garçon avance de quelques pas et aperçoit enfin un autre iPod enveloppé dans du papier noir. La jeune fille grimpe sur le dos du cheval, déplace l'appareil de quelques centimètres, consulte son écran et lève le pouce, satisfaite.

— **C'est bon !** La prise de vue est **parfaite !** Notre voleur n'a aucune chance de s'échapper sans être vu. J'arrive à voir le banc ET le piège. **Oh !** Tu l'as parfaitement réussi, GHOST !

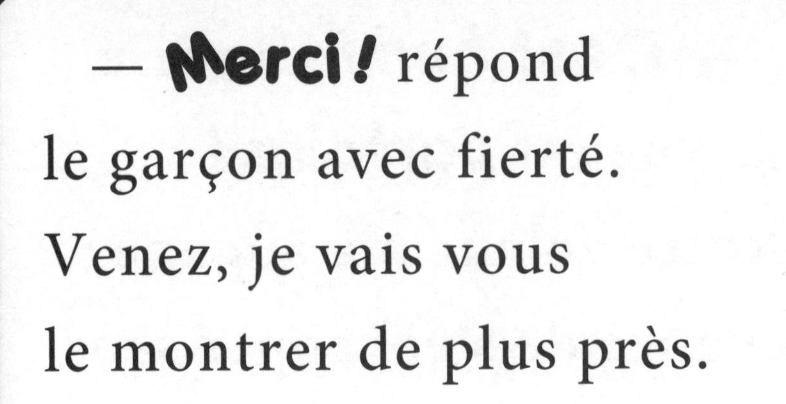

— **Merci !** répond le garçon avec fierté. Venez, je vais vous le montrer de plus près.

**SUPER !**

C'est toute une embuscade qui a été installée près de l'entrée de la bibliothèque !

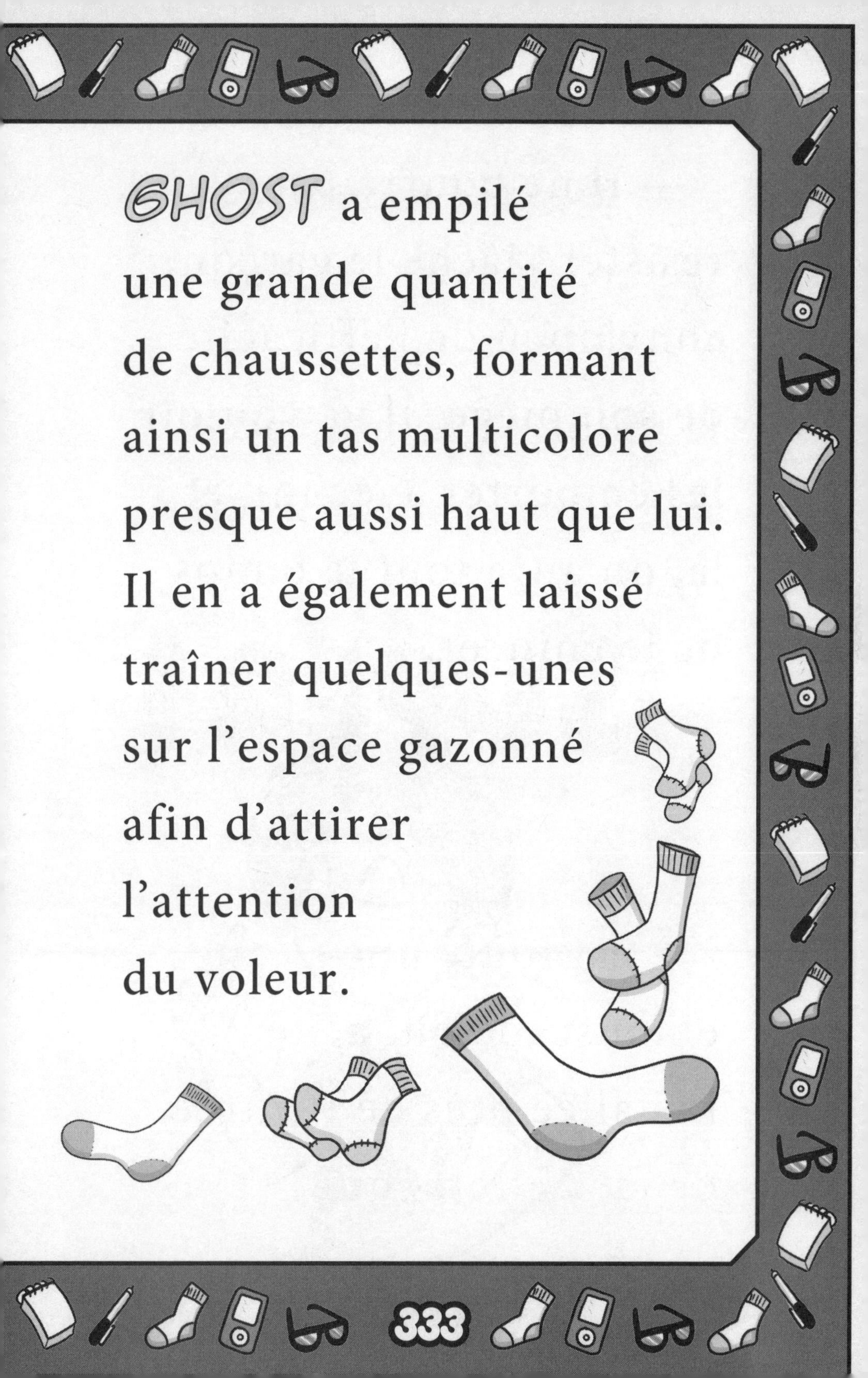

GHOST a empilé
une grande quantité
de chaussettes, formant
ainsi un tas multicolore
presque aussi haut que lui.
Il en a également laissé
traîner quelques-unes
sur l'espace gazonné
afin d'attirer
l'attention
du voleur.

— Il ne pourra pas résister ! lâche le garçon, convaincu de l'efficacité de son piège. Il va vouloir les emporter avec lui, et là, on aura tout le temps de le coincer.

— Et avec Brindille près de nous, il n'a **aucune** chance de s'en sortir ! ajoute Scarlett en souriant. Ce petit chien est beaucoup **trop brillant !**

— **Euh...**, fait **Lièvre BONDISSANT**, la gorge nouée, Bouboule a passé la nuit dehors, comme d'habitude, mais il n'est pas revenu ce matin.

**OMBRE OBSCURE** tourne la tête et réalise qu'en effet la petite boule de poil brille par son absence. **Oups !** Ce détail lui avait échappé.

— **Bah**, ça va bien aller, dit-elle pour encourager son ami. Je suis sûre qu'il va bien. Et *GHOST*-**BOND-007** peut très bien se débrouiller sans chien. Est-ce que tout le monde est prêt à se mettre en position ?

# Chapitre 12

## Qui a peur des hauteurs ?

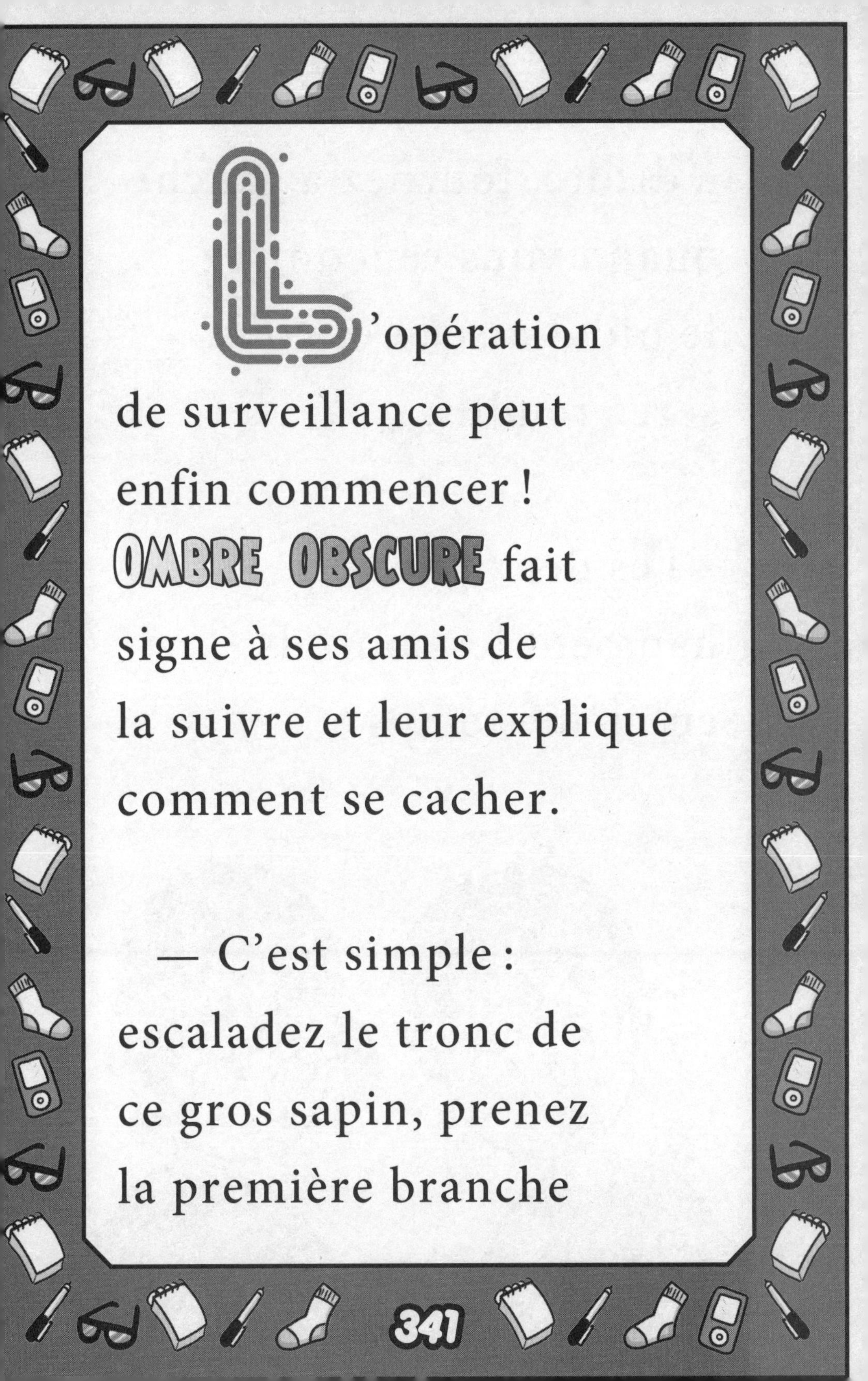

L'opération de surveillance peut enfin commencer ! OMBRE OBSCURE fait signe à ses amis de la suivre et leur explique comment se cacher.

— C'est simple : escaladez le tronc de ce gros sapin, prenez la première branche à droite, tournez à gauche quand vous rencontrez le nid d'oiseau et vous serez rendus.

Les deux garçons haussent les sourcils en même temps.

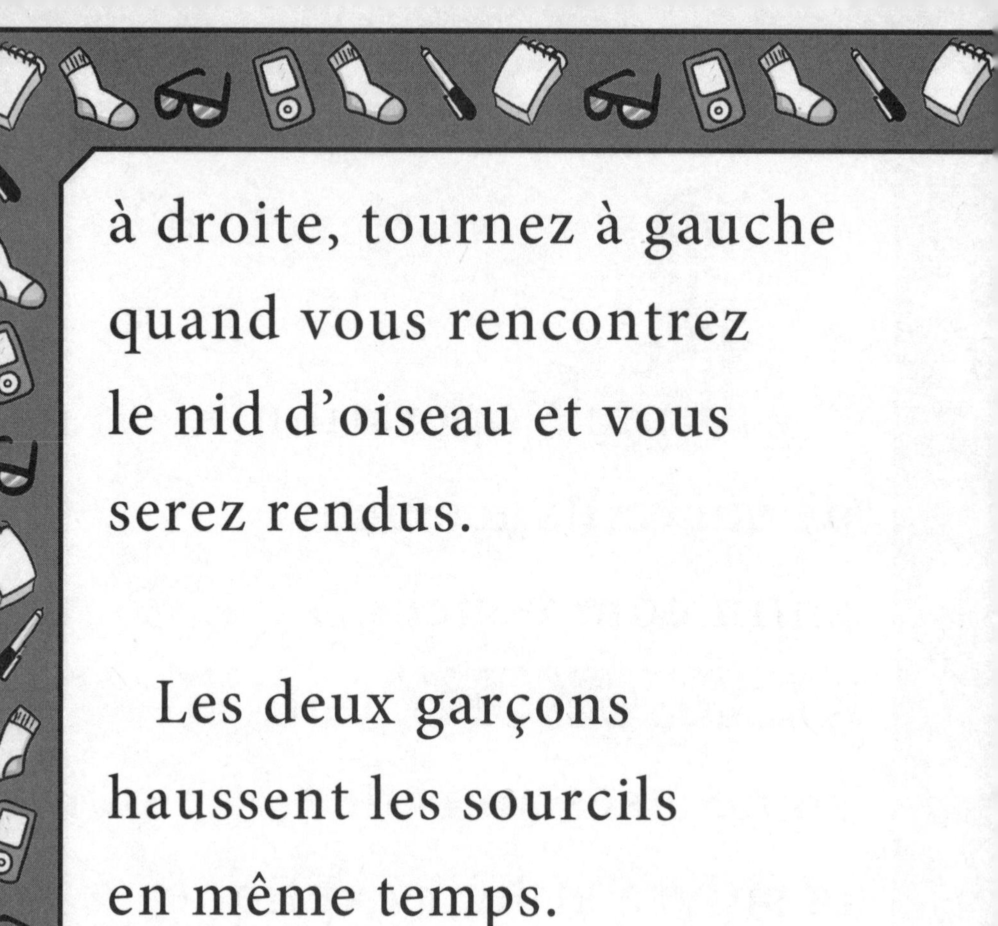

— C'est une blague, **voyons !** Montez, c'est tout ! On se retrouve là-haut.

L'exercice est loin d'être facile. L'écorce de l'arbre est râpeuse, et GHOST doit sauter plusieurs fois pour atteindre la première branche. Il tend ensuite la main à OMBRE OBSCURE et l'aide à grimper à son tour. Les deux amis

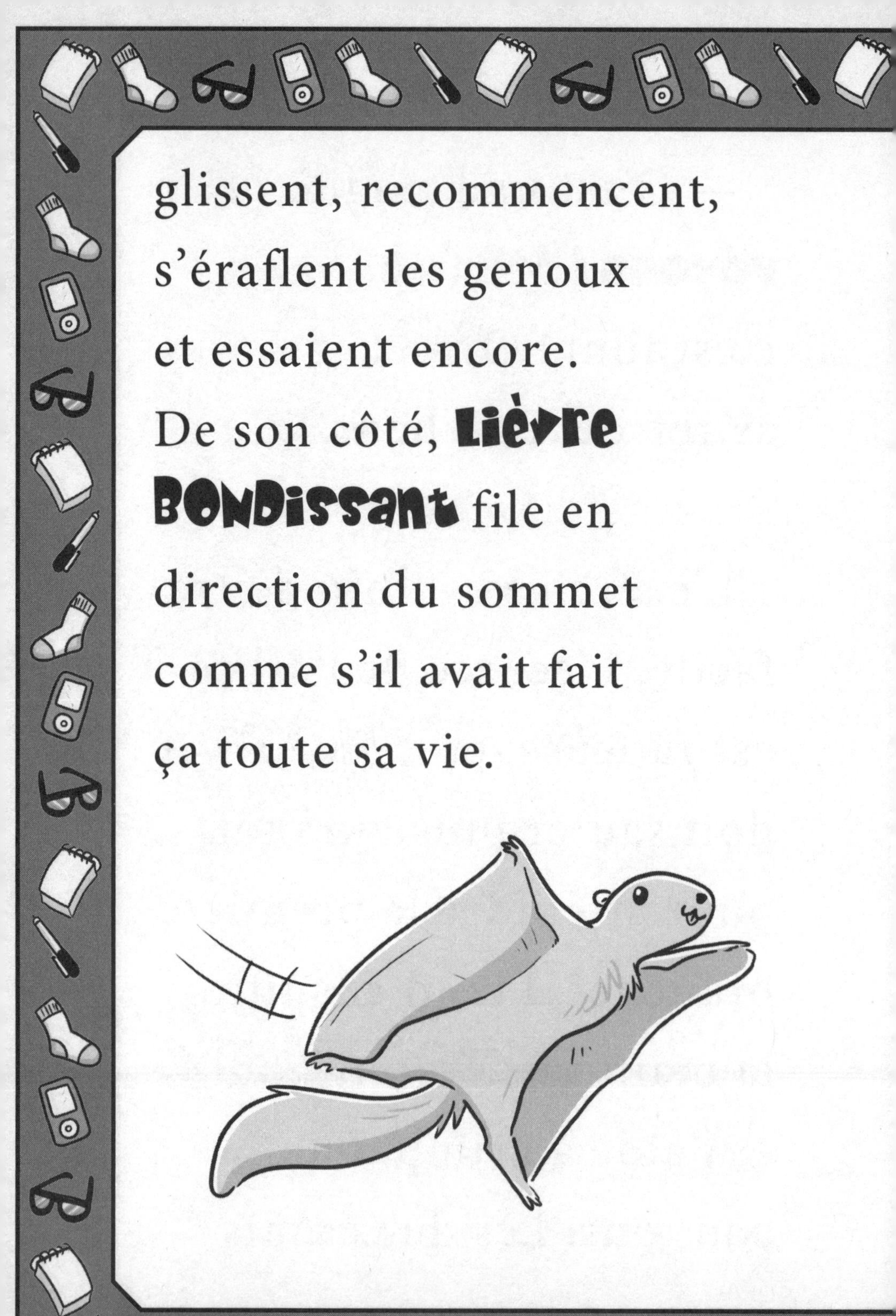

glissent, recommencent,
s'éraflent les genoux
et essaient encore.
De son côté, **Lièvre Bondissant** file en
direction du sommet
comme s'il avait fait
ça toute sa vie.

— On aurait dû l'appeler **« Écureuil Volant »**, ronchonne GHOST après avoir reçu une brindille remplie d'aiguilles en plein visage. Comment a-t-il réussi à escalader si vite ? Et comment fait-il pour ne pas avoir peur ?

— Arrête de te plaindre et continue à monter, dit OMBRE OBSCURE. On n'a pas toute la journée.

— Hé ! Venez voir par ici ! claironne Lièvre Bondissant en grimpant sur une grosse branche pour aller encore plus haut. On est un peu à l'étroit, mais ça sent tellement bon ! Et la vue est superbe !

Ombre Obscure pose un pied sur l'écorce rugueuse et rejoint son ami pour admirer le paysage.

Humilié, **GHOST** fait la même chose, mais il perd l'équilibre et sa chaussure tombe au sol.

— **Nom d'une moustache !** Fais un peu attention, tu vas nous faire repérer !

— C'est tout ce qui t'importe ? J'ai failli me **tuer**, tu sauras ! On est super haut !

— On est à trois pieds du sol, **franchement !**

— **Tu rigoles !**

Je distingue à peine les voitures tellement elles sont loin !

— **Hé !** Taisez-vous, tous les deux ! s'exclame **Lièvre BONDISSANT**. Quelqu'un s'est approché de notre piège !

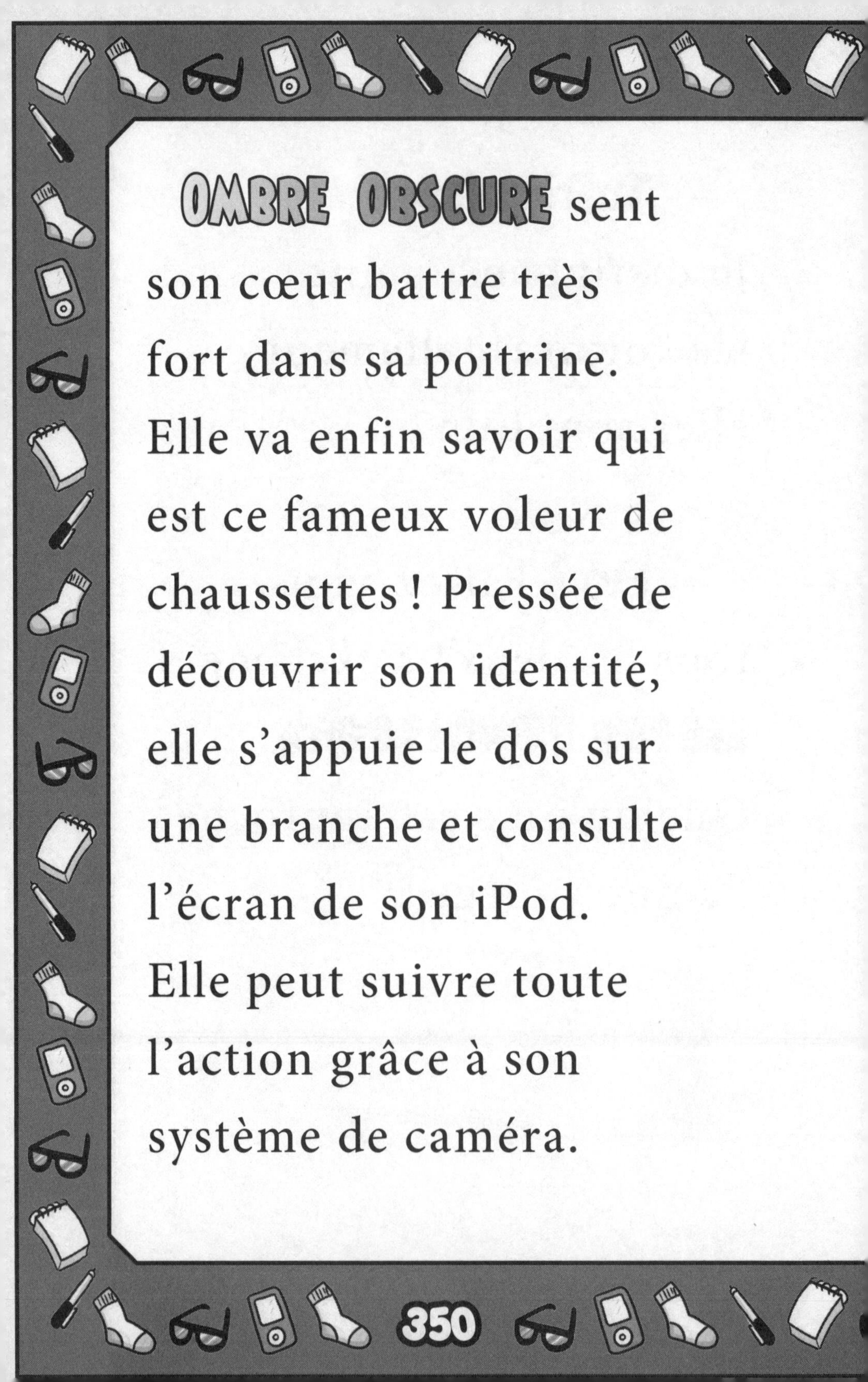

OMBRE OBSCURE sent son cœur battre très fort dans sa poitrine. Elle va enfin savoir qui est ce fameux voleur de chaussettes ! Pressée de découvrir son identité, elle s'appuie le dos sur une branche et consulte l'écran de son iPod. Elle peut suivre toute l'action grâce à son système de caméra.

**Oh !** La voleuse est une **joggeuse !** La femme s'est arrêtée pour boire une gorgée d'eau et faire quelques exercices sur l'espace gazonné près de l'entrée de la bibliothèque. Rien de bien méchant jusqu'à présent.

— Est-ce qu'on intervient ? demande GHOST en étirant le cou pour tenter de voir l'image renvoyée par le iPod. On pourrait l'appréhender et l'amener en salle d'interrogatoire.

— Pas tout de suite, répond **Lièvre Bondissant**. On doit récolter plus de preuves. On ne peut pas incarcérer cette femme sous prétexte qu'elle a marché sur la pelouse. Elle n'a même pas remarqué les chaussettes !

— **Faux !** intervient **Ombre Obscure** en pointant la suspecte

avec son index.
**Regardez**, elle vient
de les apercevoir !

Les trois amis
espionnent la joggeuse
en silence. Ils retiennent
leur souffle et attendent
sans bouger, à la fois
nerveux et impatients.

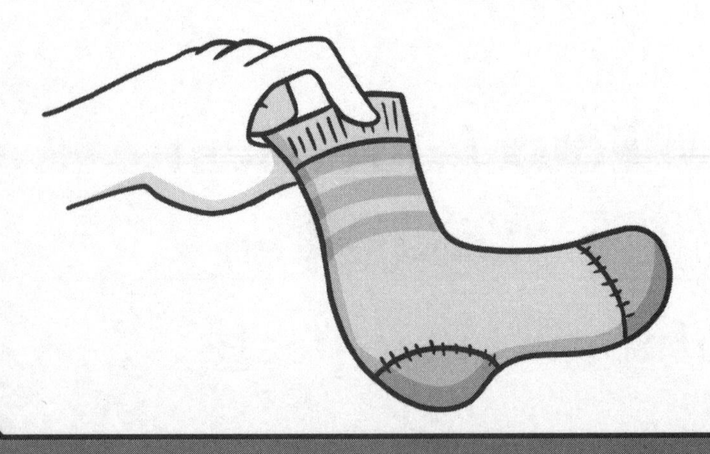

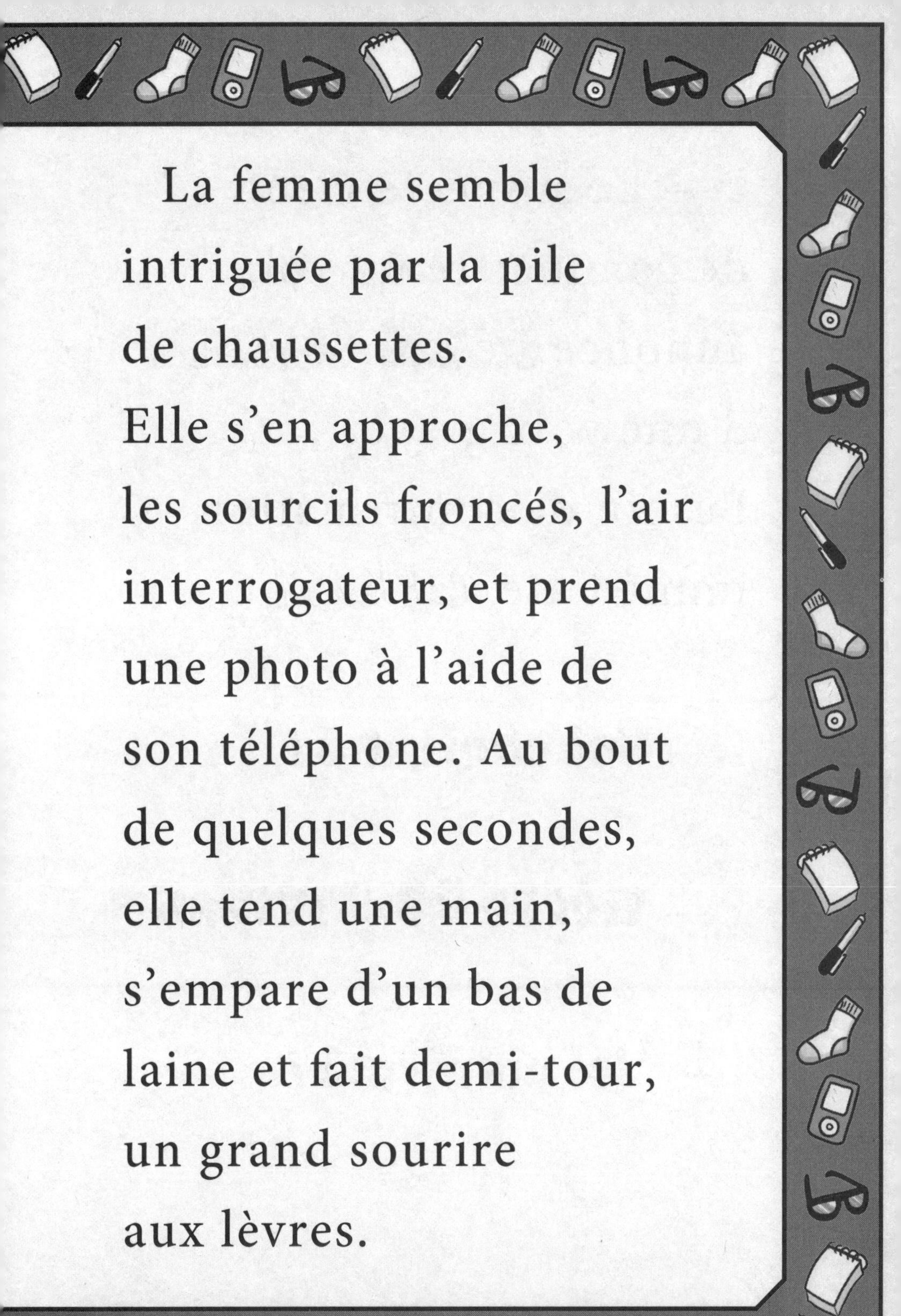

La femme semble intriguée par la pile de chaussettes. Elle s'en approche, les sourcils froncés, l'air interrogateur, et prend une photo à l'aide de son téléphone. Au bout de quelques secondes, elle tend une main, s'empare d'un bas de laine et fait demi-tour, un grand sourire aux lèvres.

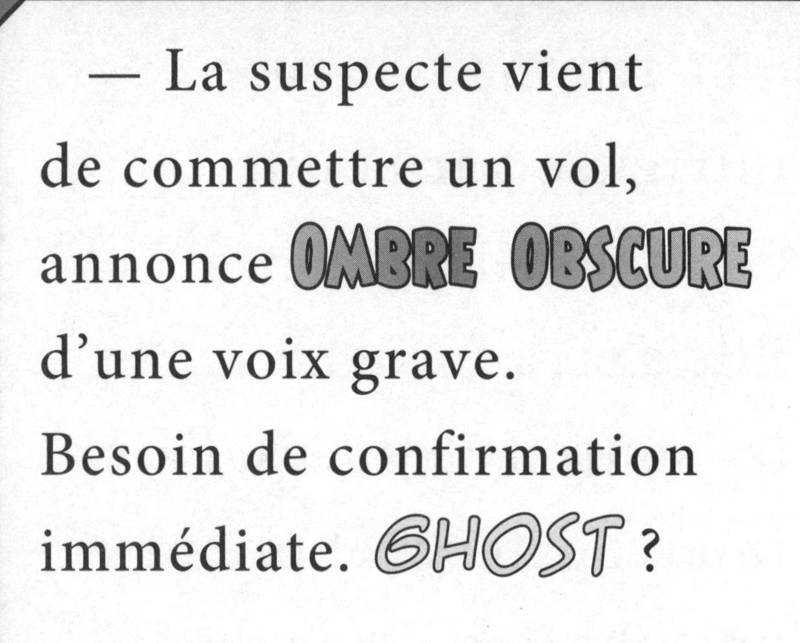

— La suspecte vient de commettre un vol, annonce OMBRE OBSCURE d'une voix grave. Besoin de confirmation immédiate. GHOST ?

— **Vol confirmé !**

— **Lièvre BONDISSANT** ?

— **Vol confirmé !**

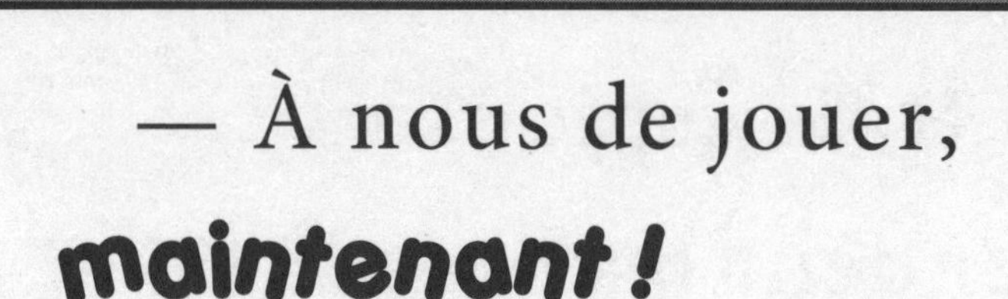

— À nous de jouer, **maintenant !** On appréhende cette femme, on la ligote et on la ramène au quartier général. Entendu ?

— **Entendu !** répondent les deux garçons d'une même voix.

Les trois espions descendent les branches de l'arbre une à une et posent les pieds au sol, prêts à intervenir.

— Où est-elle ? demande GHOST en tournant la tête de tous les côtés. Elle était juste là, elle ne peut quand même pas s'être volatilisée !

— Oh non ! Elle a disparu ! rouspète **Lièvre Bondissant**. Vous auriez dû vous dépêcher, **aussi !** Vous êtes plus lents que des tortues de mer.

— On a fait le plus vite qu'on a pu ! proteste **GHOST**, de mauvaise humeur. Je ne suis pas un singe, moi !

— Moi non plus, je te ferai remarquer ! Je suis agile, **c'est tout !**

— Es-tu en train de dire qu'on a perdu la trace de notre voleuse par ma faute ?

— Peut-être bien !

— Voulez-vous bien vous calmer, tous les deux ? siffle

**OMBRE OBSCURE**

d'un air féroce.
On va se faire repérer
si ça continue. En plus,
je pense qu'on s'est
trompés de suspect.

**REGARDEZ !**

Scarlett lève la tête pour désigner le lieu du piège. La coureuse a été remplacée par un itinérant qui semble bien heureux de faire le plein de vêtements. Il s'empare d'une chaussette et la cache dans une poche de sa veste. Il en prend une autre et la range dans son sac. Au bout d'une minute, l'homme en a tellement récupéré qu'il ne sait plus où les mettre. Il rebrousse donc chemin, un énorme sourire aux lèvres.

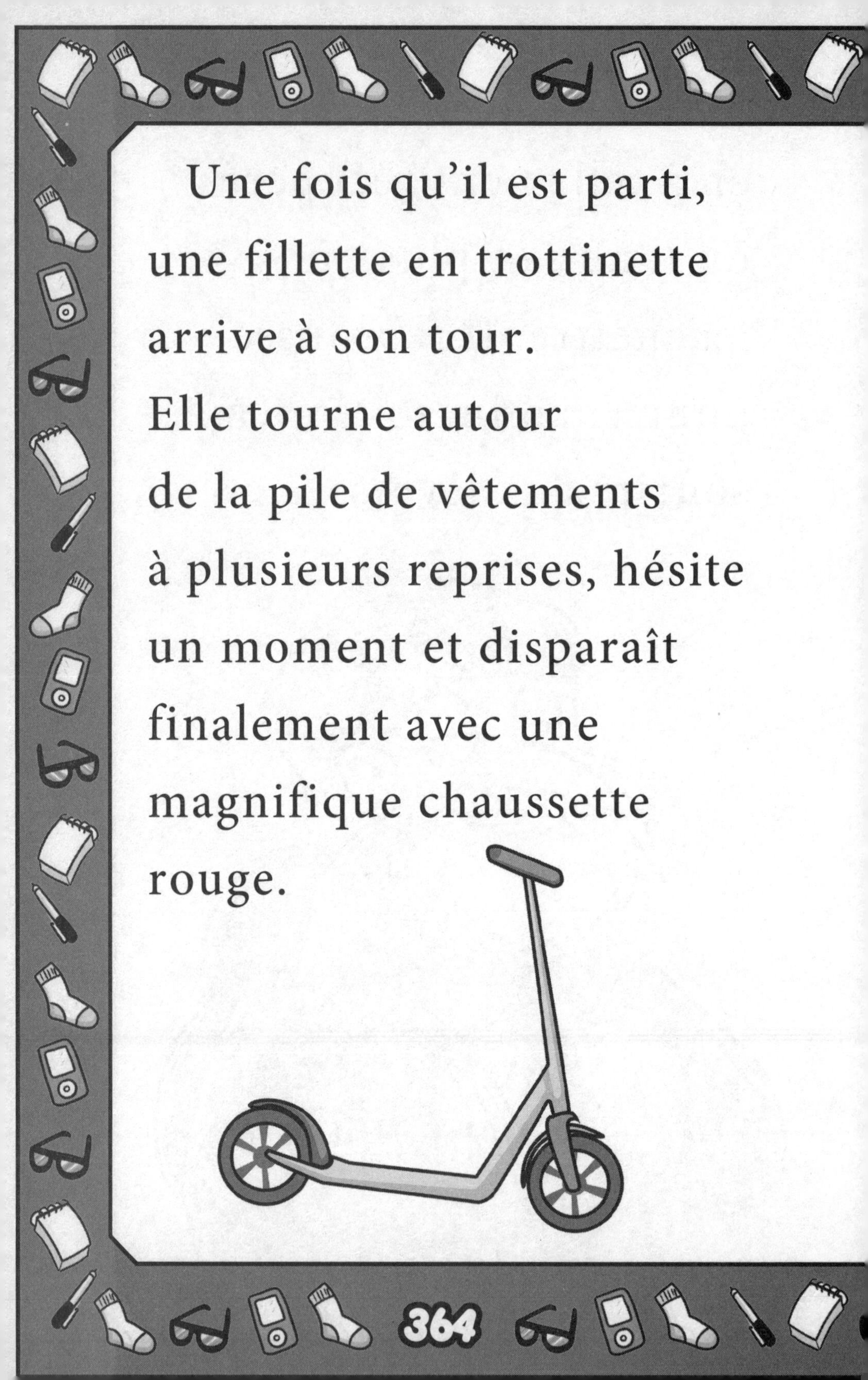

Une fois qu'il est parti,
une fillette en trottinette
arrive à son tour.
Elle tourne autour
de la pile de vêtements
à plusieurs reprises, hésite
un moment et disparaît
finalement avec une
magnifique chaussette
rouge.

— **Mission terminée**, annonce Spy, la mine déconfite. Il est clair que notre plan a échoué. Si ça continue, il ne restera plus une seule chaussette d'ici la fin de la journée.

— Je crois que tu as raison, dit Scarlett en marchant à ses côtés. On va t'aider à tout ramasser.

Les trois amis avancent en direction du piège, les yeux tristes, les épaules basses. Ils auraient tant aimé réussir leur mission ! Comment vont-ils faire pour démasquer le voleur, à présent ? Et pour le capturer ?

Tandis que Scarlett tente de trouver une solution, Bouboule surgit à vive allure et se met à japper de toutes ses forces.

**NOM D'UNE MOUSTACHE ! Qu'est-ce qui lui prend ?**

Il grogne, il montre les dents et passe même près de mordre Jimmy. C'est la première fois qu'il agit ainsi ! Le garçon a beau essayer de le calmer, rien n'y fait !

Finalement, le petit chien agrippe une chaussette dans sa gueule et se sauve en courant. **Oh !** Scarlett ignore pourquoi, mais elle est persuadée qu'elle **DOIT** le suivre.

ALLONS-Y !
NE LE PERDONS
PAS DE VUE !

# Chapitre 13

## Mission accomplie !

Bouboule est très rapide ! Il parcourt les rues de la ville à toute vitesse, alors que les trois espions tentent de suivre sa trace. Il longe la 1re Avenue, traverse un petit parc, contourne l'épicerie et disparaît finalement derrière une jolie maison bleue.

— **Où est-il ?** demande Jimmy en posant les mains sur ses genoux, à bout de souffle.

— **Aucune idée !** répond Spy, qui cherche son air. Je crois… je crois qu'il est parti par là, ajoute-t-il en pointant la maison.

Scarlett prend
son courage à deux mains
et pénètre dans la cour
de la maison, les jambes
molles et le front en
sueur. Au bout de
quelques pas, elle aperçoit
une minuscule cabane
de bois au fond de la cour.

— Oh, venez voir, chuchote-t-elle pour demeurer discrète. Il y a une niche. C'est probablement là que Bouffon s'est caché.

— Son nom, c'est **Bouboule**, la reprend Spy à voix basse. Et je crois que tu as raison, il y a une petite queue qui dépasse de l'ouverture. **Oui, c'est bien lui !**

— En êtes-vous sûrs ? demande Jimmy, le visage attristé. Ça veut dire qu'il habite ici ? Et qu'il a une **famille ?** Et ça veut aussi dire que... ça veut aussi dire que je ne pourrai **plus** le garder avec moi ?

Scarlett s'approche de son ami et pose une main sur son épaule. Elle sait que Jimmy est très attaché à ce petit chien, alors elle essaie de trouver les mots pour lui remonter le moral.

— Peut-être que Bouillon est seulement venu visiter un autre chien, dit-elle avec un sourire encourageant. Peut-être qu'il va retourner chez toi tout de suite après. Peut-être même qu'on se trompe et qu'on le confond avec un chat ou un raton laveur. Peut-être que...

Scarlett est prête à inventer toutes sortes de scénarios pour aider son ami à se sentir mieux, mais elle est interrompue par une petite voix derrière elle.

**ALLÔ !**

Les trois espions courent se cacher derrière un buisson, par réflexe.

Scarlett place même une branche remplie de feuilles devant son visage pour essayer de passer inaperçue.

— Euh… J'arrive à vous voir, vous savez, fait la petite voix. **Sortez de là**, je ne vais pas vous manger.

À travers les branches, Scarlett découvre une jeune fille qui doit avoir à peu près son âge. Ses cheveux sont très longs, très noirs et semblent très soyeux. À première vue, Scarlett se dit que ses intentions sont bienveillantes, mais un espion n'est jamais trop prudent ! Il s'agit peut-être d'un **PIÈGE !**

— Qui es-tu ? demande Scarlett, à la fois curieuse et méfiante.

— Je m'appelle Li Mei, explique la nouvelle venue sans cesser de sourire. J'habite ici.

— Oh, on va s'en aller, dans ce cas, s'excuse aussitôt Jimmy en sortant de sa cachette. On ne voulait pas te déranger...

Le jeune espion fige sur place lorsqu'il arrive en face de la demoiselle. Il l'observe un moment, les mains dans les poches, la bouche en cœur. Scarlett croit même

apercevoir une lueur scintillante dans ses yeux.

— Tu es vraiment très jolie, articule-t-il enfin.

— **Merci**, répond Li Mei en rougissant.

— **Hé !** intervient Scarlett en agitant les doigts devant le visage de son ami. **Reste concentré !**

— Ah, oui…, marmonne Jimmy d'une voix lointaine. Pourquoi est-on là, **déjà ?**

— Pour retrouver Bouton, **voyons !** s'exclame Scarlett, les bras croisés.

Li Mei hausse les sourcils et demande :

— Qui est Bouton, au juste ?

— En fait, il s'appelle **Bouboule**, explique Spy en pointant la niche. C'est le petit chien qui est juste là. Scarlett a beaucoup de mal à retenir son nom.

— Ah, vous parlez de **Guizmo ?** C'est mon chien, je l'ai reçu en cadeau à ma fête de quatre ans. Vous êtes ici pour le voir ?

Les trois espions hochent la tête d'un mouvement vif.

— Vous devrez faire preuve de patience et de douceur si vous souhaitez l'approcher. Il est très nerveux depuis quelques jours.

Scarlett marche sur la pointe des pieds, à la fois curieuse et méfiante. Elle a mille et une questions en tête. Qu'est-ce qui se passe ici ? Pourquoi Bottillon est-il nerveux, lui qui est habituellement si enjoué ? Et pourquoi s'est-il montré agressif quand ils ont tenté de l'attraper, quelques instants auparavant ?

Jimmy est le premier à se mettre à quatre pattes pour glisser la tête dans l'ouverture de la niche.

— Je comprends tout, maintenant, marmonne-t-il avec émotion.

Scarlett est de plus en plus impatiente. Elle tire sur le chandail de Jimmy, qui recule lentement, au comble du bonheur.

— **Qu'est-ce qu'il y a?** demande la jeune fille. **Qu'est-ce que *tu* as vu?**

— Je te laisse le découvrir par toi-même, répond-il, les yeux brillants. Ça vaut la peine.

Mais Spy est plus rapide. Il prend une grande inspiration – probablement pour se donner du courage – et imite le geste de Jimmy. Il fait presque aussitôt marche arrière, dans tous ses états.

— **Quelle *horreur* !**
s'écrie-t-il, le teint blême.
Je crois que je vais perdre
connaissance...

Scarlett aide son ami
à s'allonger dans l'herbe
et s'empresse d'aller voir.
Elle s'agenouille devant
la petite niche et glisse
enfin la tête dans
l'ouverture. Ce qu'elle
aperçoit à l'intérieur
la laisse sans voix.

Des bébés chiens !
Ils sont **trop chou !**
Et ils ont l'air tellement bien, pelotonnés contre leurs parents, dans cet amoncellement de tissus de toutes les couleurs !

Scarlett aimerait
serrer une de ces boules
d'amour contre son cœur,
la bercer, la couvrir
de câlins et de bisous.
Mais les nouveau-nés
sont trop petits,
ils doivent rester auprès
de leur mère. L'espionne
s'en met plein les yeux
encore une fois et
retrouve enfin ses amis.

— Tu es **vraiment chanceuse** d'avoir des bébés chiens, dit-elle à Li Mei. Ils sont **magnifiques**. Je vois que tu en prends bien soin.

— Merci, mais je n'y suis pour rien, assure la jeune fille. Guizmo est un **super papa**. C'est grâce à lui que la niche est si douillette. Il voulait que ses bébés naissent au chaud et qu'ils soient bien entourés.

— Eh bien, **c'est réussi !** Voilà qui met fin à notre enquête, dit Scarlett en guise de conclusion. On peut dire qu'on a **travaillé fort** pour la résoudre, celle-là !

Jimmy, étonné, n'a pu s'empêcher de crier.

— Notre enquête est finie ? ajoute Spy, toujours allongé sur la pelouse.

**Comment ça ?**

Scarlett ouvre grand les yeux, convaincue que ses amis lui font une blague. Il semblerait que ce ne soit pas le cas. Spy est couché dans l'herbe, le teint blême, les lèvres sèches – il n'a pas supporté de se retrouver en présence de tant de chiens d'un seul coup –, tandis que Jimmy fronce les sourcils pour réfléchir.

— **Ben là !** Vous avez sûrement remarqué !

— **Remarqué quoi ?** demandent les garçons en même temps.

— Les chaussettes, voyons ! La niche en est remplie ! On les a **ENFIN** retrouvées !

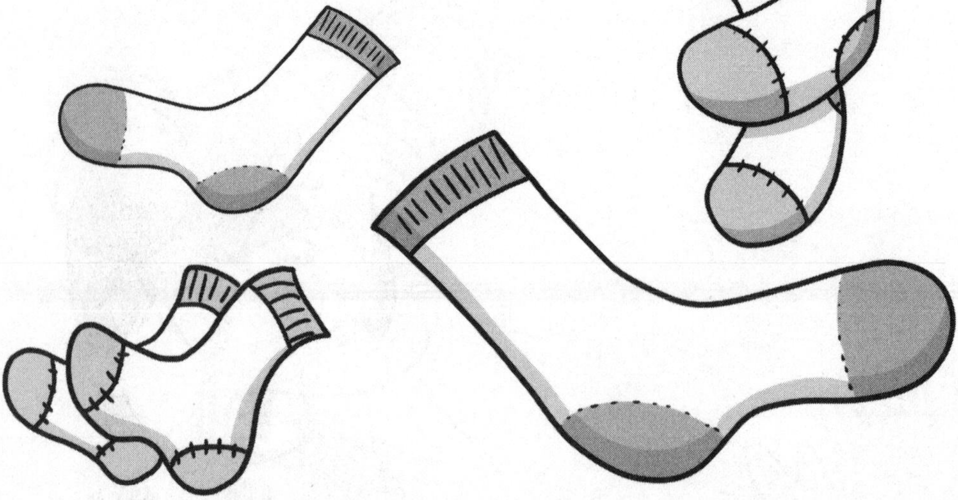

Jimmy retourne inspecter l'endroit et fait demi-tour aussitôt, les yeux ronds. Il était si fasciné par les bébés chiens qu'il n'a pas vu qu'ils étaient blottis contre les bouts de tissu qu'ils recherchent depuis des jours !

Le garçon éclate de rire en réalisant son erreur et félicite ses coéquipiers pour leur excellent travail. L'opération **SUPER PHÉNIX COBRA NOIR** n'aura pas été de tout repos, mais au moins, **SPY-BOND-007** en est venue à bout !

Spy, qui a retrouvé un peu de couleurs,

s’assoit dans l’herbe
et lève un doigt.

— Il y a quand même
un problème, annonce-t-il
avec sérieux.

— **Lequel ?**

Scarlett sent l'inquiétude monter en elle. Ont-ils oublié un détail important ? Un indice qui chamboulerait toutes leurs recherches ? Un témoin-surprise ?

— Comment déterminer qui de nous deux aura droit à une sortie avec toi ? Tu as résolu l'enquête toute seule…

La jeune espionne hausse les épaules et en arrive à l'unique conclusion possible :

# RAPPORT FINAL

Mission :

OPÉRATION SUPER
PHÉNIX COBRA NOIR

⇨ OMBRE OBSCURE

BILAN DE L'OPÉRATION :

Bouboule était présent sur
les lieux de chacun des crimes :
à la maison de monsieur
Pomme d'Api (c'est d'ailleurs
là que Jimmy l'a trouvé),
dans le vestiaire des garçons,
chez Jimmy et, finalement,

près de la bibliothèque municipale. Le liquide visqueux qu'on a prélevé était en fait de la bave. Yark! Les poils récoltés étaient les siens (j'aurais dû le savoir). Malheureusement, on ne peut pas remettre les chaussettes volées à leurs propriétaires pour l'instant. Les bébés chiens en ont besoin. On pourra les récupérer - et les laver - lorsque les chiots auront grandi. Ma conclusion est la suivante : notre équipe

# RAPPORT FINAL

a su faire preuve de courage, de détermination et de débrouillardise afin d'affronter les obstacles et les dangers. Mission accomplie, Spy-Bond-007!

⇨ GHOST

CONCLUSION :

C'était la pire enquête du monde! J'ai dû interroger madame Fouine, grimper dans un arbre trop haut, courir dans les rues

# DE MISSION

de la ville et affronter
des chiens terribles.
Tout ça pour quoi? Pour
RIEN! Scarlett a retrouvé
elle-même les chaussettes,
ce qui veut dire que NI
JIMMY NI MOI ne sortirons
avec elle! Pfft! Je suis
sûr que c'était arrangé,
tout ça! Je gage qu'elle
n'a jamais eu l'intention
de passer du temps en tête
à tête avec un de nous.

# RAPPORT FINAL

## LIÈVRE BONDISSANT

RÉSULTAT :

C'était la plus belle, la plus incroyable, la plus merveilleuse enquête de tous les temps ! Pour vrai ! Il y avait de l'action, c'est moi qui vous le dis ! J'ai peut-être perdu Bouboule – en fait, je ne l'ai pas vraiment perdu, puisqu'il n'a jamais été à moi –, mais je peux aller

# DE MISSION

le visiter quand je veux !
Li Mei est d'accord !
Elle est vraiment géniale,
cette fille. Elle a même
affirmé que je pourrais
adopter un des bébés
chiens si j'arrivais à
convaincre mes parents.
En attendant, je crois
qu'on va peut-être
sortir ensemble, tous
les deux... J'ai les joues
qui rougissent rien que
d'y penser.